GED MATEMÁTICA PARA PRINCIPIANTES

La guía definitiva paso a paso para prepararse para el examen de matemáticas GED

Por

Reza Nazarí

Traducido por Kamrouz Berenji

Effortless Math Education Inc.

Todas las consultas deben dirigirse a:
info@effortlessmath.com
www.Effortlessmath.com

Número ISBN: 978-1-63719-254-2

Publicado por: **Effortless Math Education Inc.**

Para Práctica de Math en Línea Visita www.Effortlessmath.com

Bienvenidos a Preparación para matemáticas de GED Año 2022

Te felicito por elegir Effortless Math para tu preparación para el examen de matemáticas GED y felicitaciones por tomar la decisión de tomar el examen GED! Es un movimiento notable que estás tomando, uno que no debe ser disminuido en ninguna capacidad. Es por eso que debe usar todas las herramientas posibles para asegurarse de tener éxito en el examen con el puntaje

Si las matemáticas nunca han sido un tema sencillo para ti, **¡no te preocupes**! Este libro lo ayudará a prepararse para (e incluso ACE) la sección de matemáticas del examen GED. A medida que se acerca el día de la prueba, la preparación efectiva se vuelve cada vez ás importante. Afortunadamente, tiene esta guía de estudio completa para ayudarlo a prepararse para el examen. Con esta guía, puede sentirse seguro de que estará más que listo para el examen de matemáticas GED cuando llegue el momento.

Primero y, antes que nada, es importante señalar que este libro es una guía de estudio y no un libro de texto. Es mejor leerlo de principio a fin. Cada lección de este "libro de matemáticas autoguiado" se desarrolló **cuidadosamente para garantizar que esté haciendo el uso** más efectivo de su tiempo mientras se prepara para el examen. Esta guía actualizada refleja las directrices del examen de 2022 y te pondrá en el camino correcto para perfeccionar tus habilidades matemáticas, superar la ansiedad del examen y aumentar tu confianza, para que puedas tener lo mejor para tener éxito en el examen de matemáticas del GED.

Esta guía de estudio:

☑ Explica el formato de la prueba de matemáticas GED.

☑ Describe estrategias específicas para tomar exámenes que pueda usar en el examen.

☑ Proporciona consejos para tomar exámenes de matemáticas GED.

☑ Revisa todos los conceptos y temas de GED Matemática en los que será probado.

☑ Le ayudarla a identificar las áreas en las que necesita concentrar su tiempo de estudio.

☑ Ofrece ejercicios que lo ayuden a desarrollar las habilidades matemáticas básicas que aprenderá en cada sección.

☑ Ofrece **2 pruebas de práctica realistas y completas** (con nuevos tipos de preguntas) con respuestas detalladas para ayudarlo a medir su preparación para el examen y generar confianza.

Este recurso contiene todo lo que necesitará para tener éxito en el examen de matemáticas GED. Obtendrá instrucciones detalladas sobre cada tema de matemáticas, así como consejos y técnicas sobre cómo responder a cada tipo de pregunta. También obtendrá muchas preguntas de práctica para aumentar su confianza en la toma de exámenes.

Además, en las siguientes páginas encontrarás:

- **Como usar este libro efectivamente.** - Esta sección le proporciona instrucciones paso a paso sobre cómo sacar el máximo partido a esta completa guía de estudio.
- **Cómo estudiar para el GED Matemática Test** - Se ha desarrollado un programa de estudio de seis pasos para ayudarlo a hacer el mejor uso de este libro y prepararse para su examen de GED Matemática. Aquí encontrará consejos y estrategias para guiar su programa de estudio y ayudarlo a comprender GED Matemática y cómo aprobar el examen.

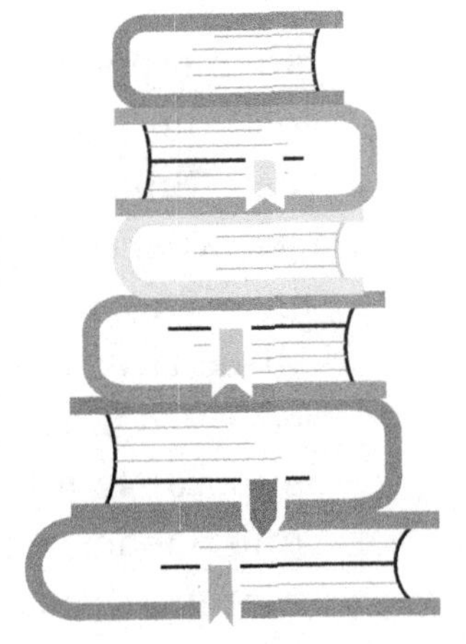

- **Revisión de matemáticas de GED** - aprenda todo lo que necesita saber sobre el examen de matemáticas de GED.
- **Estrategias de toma de exámenes de matemáticas** de GED - aprenda cómo poner en práctica de manera efectiva estas técnicas recomendadas de toma de exámenes para mejorar su puntaje de matemáticas de GED.
- **Consejos para el día de** la prueba - revise estos consejos para asegurarse de que hará todo lo posible cuando llegue el gran día.

Centro en línea GED de Effortless Math

Effortless Math Online GED Center ofrece un programa de estudio completo, que incluye lo siguiente:

- ✓ Instrucciones paso a paso sobre cómo prepararse para el examen de matemáticas GED
- ✓ Numerosas hojas de trabajo de matemáticas de GED para ayudarlo a medir sus habilidades matemáticas
- ✓ Lista completa de fórmulas matemáticas de GED
- ✓ Lecciones en video para todos los temas de matemáticas de GED
- ✓ Exámenes completos de práctica de matemáticas GED
- ✓ Y mucho más...

No es necesario registrarse.

Visite **Effortlessmath.com/GED** para encontrar sus recursos en línea de GED Matemática.

Cómo se utiliza Este Libro Efectivamente

Mire no más cuando necesite una guía de estudio para mejorar sus habilidades matemáticas para tener éxito en la parte de matemáticas de la prueba GED. Cada capítulo de esta guía completa de GED Matemática le proporcionará el conocimiento, las herramientas y la comprensión necesaria para cada tema cubierto en el examen.

Es imperativo que entiendas cada tema antes de pasar a otro, ya que esa es la forma de garantizar tu éxito. Cada capítulo le proporciona ejemplos y una guía paso a paso de cada concepto para comprender mejor el contenido que estará en la prueba. Para obtener los mejores resultados posibles de este libro:

- **Comience a estudiar mucho antes de la fecha de su examen**. Esto le proporciona tiempo suficiente para aprender los diferentes conceptos matemáticos. Cuanto antes comiences a estudiar para el examen, más agudas serán tus habilidades. ¡No procrastinar! Proporciónese suficiente tiempo para aprender los conceptos y siéntase cómodo de entenderlos cuando llegue la fecha de su examen.

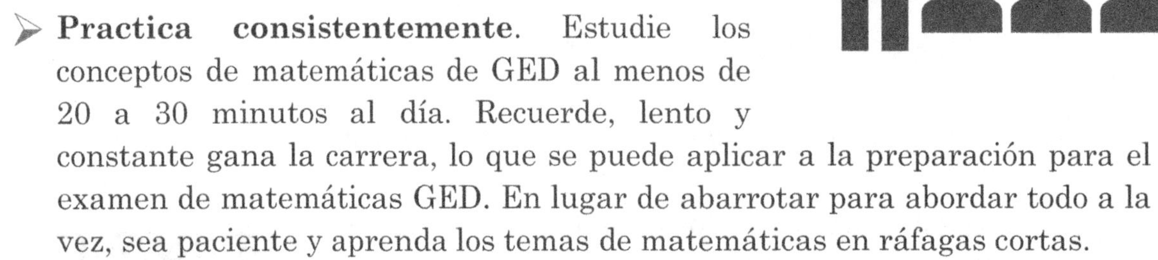

- **Practica consistentemente**. Estudie los conceptos de matemáticas de GED al menos de 20 a 30 minutos al día. Recuerde, lento y constante gana la carrera, lo que se puede aplicar a la preparación para el examen de matemáticas GED. En lugar de abarrotar para abordar todo a la vez, sea paciente y aprenda los temas de matemáticas en ráfagas cortas.
- Cada vez que se equivoque en un problema de matemáticas**, márquelo y revíselo más tarde** para asegurarse de que comprenda el concepto.
- Comience cada sesión **revisando el material anterior.**
- Una vez que haya revisado las lecciones del libro, **realice una prueba de práctica en la parte posterior del libro** para medir su nivel de preparación. Luego, revise sus resultados. Lea las respuestas y soluciones detalladas para cada pregunta en la que se haya equivocado.
- **Tome otra prueba** de práctica para tener una idea de qué tan listo está para tomar el examen real. Tomar las pruebas de práctica le dará la confianza que necesite para el día del examen. Simule el entorno de prueba de GED sentándose en una habitación tranquila y libre de distracciones. Asegúrese de registrarse con un temporizador.

Como estudiar con GED libro de matemáticas

E estudiar para el examen de matemáticas del GED puede ser una tarea realmente desalentadora y aburrida. ¿Cuál es la mejor manera de hacerlo? ¿Hay algún método de estudio que funcione mejor que otros? Bueno, estudiar para el GED de Matemáticas se puede hacer de manera efectiva. El siguiente programa de seis pasos ha sido diseñado para que la preparación del examen de matemáticas del GED sea más eficiente y menos abrumadora.

Paso**1** - Crear un plan de estudio
Paso**2** - Elige tus recursos de estudio
Paso**3** - Revisar, Aprender, Practicar
Paso**4** - Aprender y practicar estrategias de toma de exámenes
Paso**5** - Aprende el formato de la prueba GED y toma pruebas de práctica
Paso**6** - Analiza tu rendimiento

PASO 1: Crear un plan de estudio

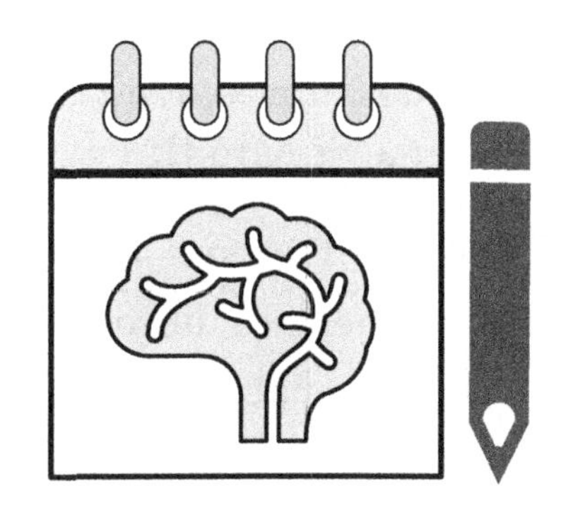

Siempre es más fácil hacer las cosas cuando tienes un plan. Crear un plan de estudio para el examen de matemáticas GED puede ayudarlo a mantenerse en el camino con sus estudios. Es importante sentarse y preparar un plan de estudio con lo que funciona con su vida, trabajo y cualquier otra obligación que pueda tener. Dedica suficiente tiempo cada día al estudio. También es una gran idea dividir cada sección del examen en bloques y estudiar un concepto a la vez.Es importante entender que no hay una manera "correcta" de crear un plan de estudio. Su plan de estudio será personalizado en función de sus necesidades específicas y estilo de aprendizaje.

Siga estas pautas para crear un plan de estudio efectivo para su examen de matemáticas GED:

★ **Analice su estilo de aprendizaje y hábitos de estudio**: cada persona tiene un estilo de aprendizaje diferente. Es esencial abrazar tu individualidad y la forma única en que aprendes. Piensa en lo que funciona y lo que no funciona para ti. ¿Prefieres los libros de preparación para matemáticas de GED o una combinación de libros de texto y lecciones en video? ¿Te funciona mejor si estudias todas las noches durante treinta minutos o es más efectivo estudiar por la mañana antes de ir a trabajar?

★ **Evalúe su horario**: revise su horario actual y averigüe cuánto tiempo puede dedicar constantemente al estudio de matemáticas de GED.
★ **Desarrolle un horario**: ahora es el momento de agregar su horario de estudio a su calendario como cualquier otra obligación. Programe tiempo para estudiar, practicar y revisar. Planifique qué tema estudiará en qué día para asegurarse de que está dedicando suficiente tiempo a cada concepto. Desarrolle un plan de estudio que sea consciente, realista y flexible.
★ **Apéguese a su horario**: un plan de estudio solo es efectivo cuando se sigue de manera consistente. Debe tratar de desarrollar un plan de estudio que pueda seguir durante la duración de su programa de estudio.
★ **Evalúe su plan de estudio y ajústelo según sea necesario**: a veces necesita ajustar su plan cuando tiene nuevos compromisos. Consulte con usted mismo regularmente para asegurarse de que no se está quedando atrás en su plan de estudio. Recuerde, lo más importante es apegarse a su plan. Tu plan de estudios se trata de ayudarte a ser más productivo. Si encuentras que tu plan de estudio no es tan efectivo como deseas, no te desanimes. Está bien hacer cambios a medida que descubres qué funciona mejor para ti.

PASO2: Elija sus recursos de estudio

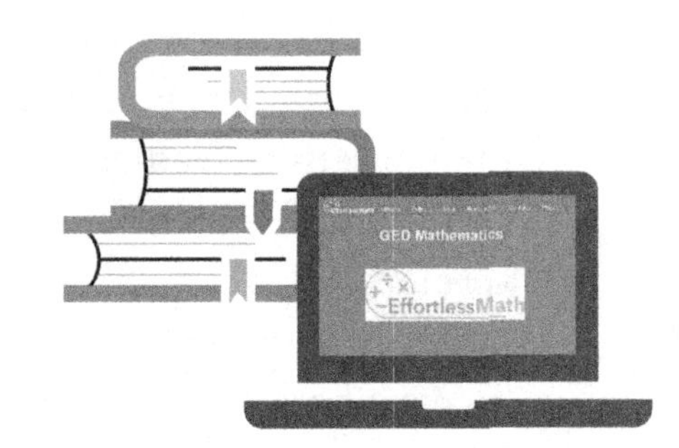

Hay numerosos libros de texto y recursos en línea disponibles para el examen de matemáticas GED, y es posible que no esté claro por dónde comenzar. ¡No te preocupes! Esta guía de estudio proporciona todo lo que necesita para prepararse completamente para su examen de matemáticas GED. Además del contenido del libro, también puede usar los recursos en línea de EffortlessMath. (lecciones en video, hojas de trabajo, fórmulas, etc.) En cada página, hay un enlace (y un código QR) a una página web en línea que proporciona una revisión completa del tema, instrucciones paso a paso, video tutorial y numerosos ejemplos y ejercicios para ayudarlo a comprender completamente el concepto.

También puede visitar Effortlessmath.com/GED para encontrar sus recursos en línea de GED Matemática.

PASO3: Revisar, aprender, practicar

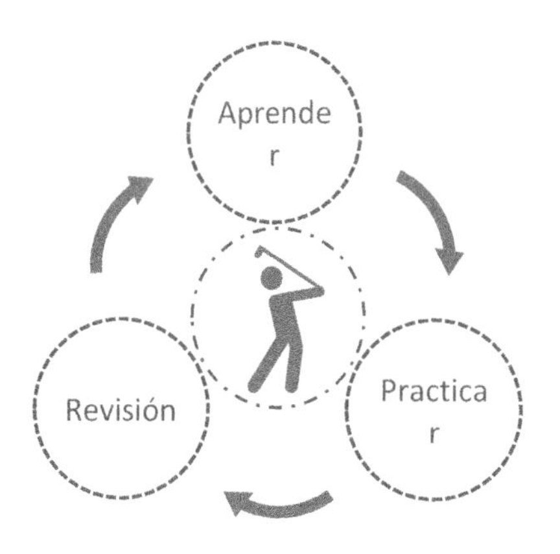

Esta guía de estudio de GED Matemática divide cada tema en habilidades específicas o áreas de contenido. Por ejemplo, el concepto de porcentaje se divide en diferentes temas: cálculo de porcentaje, aumento y disminución porcentual, porcentaje de problemas, etc. Use esta guía de estudio y el centro de GED en línea de Effortless Math para ayudarlo a repasar todos los conceptos y temas clave de matemáticas en el examen de matemáticas de GED.

A medida que lea cada tema, tome notas o resalte los conceptos que le gustaría repasar nuevamente en el futuro. Si no está familiarizado con un tema o algo es difícil para usted, use el enlace (o el código QR) en la parte inferior de la página para encontrar la página web que proporciona más instrucciones sobre ese tema. Para cada tema de matemáticas, se proporcionan muchas instrucciones, guías paso a paso y ejemplos para garantizar que obtenga una buena comprensión del material.

Revise rápidamente los temas que entienda para obtener un repaso del material. Asegúrese de hacer las preguntas de práctica proporcionadas al final de cada capítulo para medir su comprensión de los conceptos.

PASO4: Aprender y Practicar Estrategias de toma de exámenes

En las siguientes secciones, encontrará importantes estrategias y consejos para tomar exámenes que pueden ayudarlo a ganar puntos adicionales. Aprenderás a pensar estratégicamente y cuándo adivinar si no sabes la respuesta a una pregunta. El uso de estrategias y consejos para tomar exámenes de matemáticas de GED puede ayudarlo a aumentar su puntaje y obtener buenos resultados en el examen. Aplique estrategias de toma de exámenes en las pruebas de práctica para ayudarlo a aumentar su confianza.

PASO 5: Aprenda el formato de la prueba GED y realice pruebas de práctica

La sección *Revisión de la prueba de GED* proporciona información sobre la estructura de la prueba de GED. Lea esta sección para obtener más información sobre la estructura de la prueba GED, las diferentes secciones de la prueba, el número de preguntas en cada sección y los límites de tiempo de la sección. Cuando tenga una comprensión previa del formato del examen y los diferentes tipos de preguntas de matemáticas de GED, se sentirá más seguro cuando realice el examen real.

Una vez que haya leído las instrucciones y lecciones y sienta que está listo para comenzar, aproveche las dos pruebas de práctica de matemáticas GED completas disponibles en esta guía de estudio. Use las pruebas de práctica para agudizar sus habilidades y desarrollar confianza.

Las pruebas de práctica de matemáticas de GED que se ofrecen al final del libro tienen un formato similar a la prueba de matemáticas de GED real. Cuando realice cada prueba de práctica, intente simular las condiciones reales de la prueba. Para tomar las pruebas de práctica, siéntese en un espacio tranquilo, tómese el tiempo y trabaje en tantas preguntas como el tiempo lo permita. Las pruebas de práctica son seguidas por explicaciones de respuesta detalladas para ayudarlo a encontrar sus áreas débiles, aprender de sus errores y aumentar su puntaje de matemáticas GED.

PASO 6: Analice su rendimiento

Después de tomar las pruebas de práctica, revise las claves de respuesta y las explicaciones para saber qué preguntas respondió correctamente y cuáles no. Nunca te desanimes si cometes algunos errores. Véalos como una oportunidad de aprendizaje. Esto resaltará sus fortalezas y debilidades.

Puede usar los resultados para determinar si necesita práctica adicional o si está listo para tomar el examen de matemáticas GED real.

¿Buscas más?

Visite Effortlessmath.com/GED para encontrar cientos de hojas de trabajo de GED Matemática, tutoriales en video, pruebas de práctica, fórmulas de GED Matemática y mucho más.

O escanea este código QR.

No es necesario registrarse.

GED revisión de la prueba.

La Prueba General de Desarrollo Educativo, comúnmente conocida como GED o grado de equivalencia de escuela secundaria, es una prueba estandarizada y es la única prueba de equivalencia de escuela secundaria reconocida en los 50 estados de los Estados Unidos.

Actualmente, el GED es una prueba basada en computadora y se realiza en centros de pruebas de todo el país. Hay cuatro pruebas de área temática en GED:

- Razonamiento a través de las artes del lenguaje
- Razonamiento matemático
- Ciencias sociales
- Ciencia

La prueba GED de un vistazo:

Sección	Visión general	Tiempo de prueba	Puntuación aprobatoria
Razonamiento a través de las artes del lenguaje	Habilidades de lectura y escritura	150 minutos	145
Razonamiento matemático	Matemáticas cuantitativas y álgebra	115 minutos	145
Ciencia	Vida, tierra y espacio, y ciencias físicas	90 minutos	145
Ciencias sociales	Geografía, civismo, economía e historia de los Estados Unidos	90 minutos	145

El GED prueba de razonamiento matemático es de 115 minutos, prueba de una sola sección que abarca temas básicos de matemáticas, resolución de problemas cuantitativos y preguntas de álgebra. Hay dos partes en la sección de razonamiento matemático. La primera parte contiene 5 preguntas y no se permiten las calculadoras. La segunda parte contiene 41 preguntas. En la segunda parte se permite el uso de una calculadora. Para saber más sobre cómo usar la calculadora en el examen de matemáticas del GED, visita: EffortlessMath.com/blog/ged-calculator

GED tipos de preguntas de matemáticas.

El examen de matemáticas GED tiene una variedad de tipos de preguntas mejoradas:

- Opción múltiple- Este es el tipo de pregunta más común. En las preguntas de opción múltiple se pide a los alumnos que elijan la respuesta correcta entre cuatro o cinco posibles.
- Selección múltiple- este tipo de pregunta es un poco diferente que la opción múltiple. Los examinados seleccionarán todas las opciones de respuesta correctas entre una serie de opciones. En lugar de tener una sola respuesta correcta, puede haber dos o más respuestas correctas.
- Rellenar los espacios en blanco: los examinados escriben sus respuestas en el recuadro, ya sea después de una pregunta o en medio de una frase. En matemáticas, la respuesta suele ser numérica, pero a veces puede ser una palabra o una frase corta.
- Arrastrar y soltar: los examinados tendrán que hacer clic y utilizar una opción de "arrastre" para mover la respuesta a la región objetivo y a la pregunta con la que se relaciona. A veces puede haber dos o más regiones de destino
- Coincidencia - Este formato de pregunta requiere que los examinadores marquen una casilla cuando los datos de una columna coinciden con los datos de una fila. Las preguntas de verdadero o falso se incluyen en este tipo de preguntas.
- Entrada en tabla - Este tipo de pregunta se utiliza cuando hay una tabla de valores de dos columnas. Ciertas celdas de la tabla tendrán una casilla en la que el examinador escribe un número para que la tabla sea correcta.

¿Cómo se puntúa el GED?

La prueba de área GED se califica en una escala de 100-200 puntos. Para aprobar el GED, debe obtener al menos 145 en cada una de las cuatro pruebas de asignaturas, para un total de al menos 580 puntos (de un total posible de 800). Cada prueba de asignatura debe aprobarse individualmente. Esto significa que debe obtener 145 en cada sección de la prueba. Si reprobó una prueba de asignatura pero lo hizo lo suficientemente bien en otra para obtener una puntuación total de 580, eso todavía no es una puntuación aprobatoria.

Hay cuatro puntajes posibles que puede recibir en la prueba GED:

No aprobar: Esto indica que su puntaje es inferior a 145 en cualquiera de las cuatro pruebas. Si no aprueba, puede reprogramar hasta dos veces al año para volver a tomar cualquiera o todas las materias del examen GED.

Puntaje de aprobación / Equivalencia de la escuela secundaria: Este puntaje indica que su puntaje está entre 145-164. Recuerde que los puntos sobre un tema de la prueba no se transfieren a los otros sujetos.

Listo para la universidad: Esto indica que su puntaje está entre 165-175, lo que demuestra la preparación para la carrera y la universidad. Un puntaje de Universidad Listo muestra que es posible que no necesite pruebas de colocación o remediación antes de comenzar un programa de grado universitario.

College Ready + Credit: Esto indica que su puntaje es de 175 o más. Esto demuestra que ya has dominado algunas habilidades que se enseñarían en los cursos universitarios. Dependiendo de la política de una escuela, esto puede traducirse en algunos créditos universitarios, lo que le ahorra tiempo y dinero durante su educación universitaria.

Estrategias para el examen de matemáticas del GED

A continuación, te presentamos algunas estrategias para realizar el examen que puedes utilizar para maximizar tu rendimiento y resultados en el examen de matemáticas del GED.

#1 : UTILIZA ESTE ENFOQUE PARA RESPONDER A TODAS LAS PREGUNTAS DE MATEMÁTICAS DEL GED.

-Revisa la pregunta para identificar las palabras clave y la información importante.
- Traduce las palabras clave en operaciones matemáticas para poder resolver el problema.
- Revisa las opciones de respuesta. ¿Cuáles son las diferencias entre las opciones de respuesta?
- Dibuja o rotula un diagrama si es necesario.
- Intenta encontrar patrones.
- Encuentra el método adecuado para responder a la pregunta. Utiliza matemáticas sencillas, introduce números o comprueba las opciones de respuesta (resolución inversa).
- Comprueba dos veces tu trabajo

#2 : UTILIZAR CONJETURA EDUCADA.

Este enfoque es aplicable a los problemas que comprendes hasta cierto punto pero que no puedes resolver utilizando las matemáticas directas. En estos casos, intenta filtrar tantas opciones de respuesta como sea posible antes de elegir una respuesta. En los casos en los que no tengas ni idea de lo que implica un determinado problema, no pierdas el tiempo intentando eliminar las opciones de respuesta. Elige una al azar antes de pasar a la siguiente pregunta.

Como puedes comprobar, las soluciones directas son el enfoque óptimo. Lee detenidamente la pregunta, determina cuál es la solución utilizando las matemáticas que has aprendido antes y, a continuación, coordina la respuesta con una de las opciones disponibles. ¿Te has quedado perplejo? Haz tu mejor conjetura y sigue adelante.

No dejes ningún campo vacío. Aunque no seas capaz de resolver un problema, esfuérzate por responderlo. Adivina si es necesario. No perderás puntos si te equivocas en la respuesta, aunque puedes ganar un punto si la aciertas.

#3 : RESPUESTA APROXIMADA

Una respuesta aproximada es un cálculo aproximado. Cuando nos abruman los cálculos y las cifras, acabamos cometiendo errores tontos. Un decimal que se desplaza una unidad puede cambiar una respuesta de correcta a incorrecta, independientemente del número de pasos que hayas dado para obtenerla. Ahí es donde el cálculo de la respuesta puede desempeñar un papel importante.

Si crees que sabes cuál es la respuesta correcta (incluso si es sólo una respuesta aproximada), normalmente podrás eliminar un par de opciones. Aunque las opciones de respuesta suelen basarse en el error medio de los estudiantes y/o en valores que están estrechamente relacionados, podrás eliminar las opciones que están muy alejadas. Trata de encontrar respuestas que no estén en el terreno de juego cuando busques una respuesta incorrecta en una pregunta de opción múltiple.

#4 : VOLVER A RESOLVER.

La mayoría de las preguntas del examen de Matemáticas del GED serán de opción múltiple. Muchos examinados prefieren las preguntas de opción múltiple, ya que al menos la respuesta está ahí misma. Normalmente tendrás cuatro respuestas para elegir. Sólo tienes que averiguar cuál es la correcta. Por lo general, la mejor manera de hacerlo es "resolviendo".

Como ya se ha mencionado, las soluciones directas son el enfoque más óptimo para responder a una pregunta. Lee detenidamente un problema, calcula una solución y, a continuación, haz corresponder la respuesta con una de las opciones que aparecen delante de ti. Si no puedes calcular una solución, tu siguiente mejor enfoque consiste en "retro-resolver".

Al retroceder en un problema, contrasta una de las opciones de respuesta con el problema que se te plantea, y luego ve cuál de ellas es la más relevante. En la mayoría de los casos, las opciones de respuesta aparecen en orden ascendente o descendente. En estos casos, prueba las opciones B o C. Si no es correcta, puedes bajar o subir desde ahí.

5: CONECTANDO NÚMEROS

"Conectar números" es una estrategia que se puede aplicar a una amplia gama de diferentes problemas matemáticos en el examen GED Matemática. Este enfoque se utiliza normalmente para simplificar una pregunta desafiante para que sea más comprensible. Al usar la estrategia con cuidado, puede encontrar la respuesta sin demasiados problemas.

El concepto es bastante sencillo: reemplace variables desconocidas en un problema con ciertos valores. Al seleccionar un número, tenga en cuenta lo siguiente:

- Elija un número que sea básico (pero no demasiado básico). En general, debe evitar elegir 1 (o incluso 0). Una opción decente es 2.
- Trate de no elegir un número que se muestre en el problema.
- Asegúrese de mantener sus números diferentes si necesita elegir al menos dos de ellos.
- La mayoría de las veces, elegir números simplemente le permite filtrar algunas de sus opciones de respuesta. Como tal, no solo vaya con la primera opción que le brinde la respuesta correcta.
- Si varias respuestas parecen correctas, deberá elegir otro valor e intentarlo de nuevo. Esta vez, sin embargo, solo tendrá que verificar las opciones que aún no se han eliminado.
- Si su pregunta contiene fracciones, entonces una posible respuesta correcta puede involucrar una pantalla LCD (mínimo común denominador) o un múltiplo LCD.
- 100 es el número que debe elegir cuando se trata de problemas que involucran porcentajes.

GED matemáticas- consejos para el día del examen.

Después de practicar y repasar todos los conceptos matemáticos que te han enseñado, y de hacer algunos exámenes de práctica de matemáticas del GED, estarás preparado para el día del examen. Ten en cuenta los siguientes consejos para estar más preparado a la hora del examen.

Antes del examen

¿qué hacer una noche antes?

- **Relájate.** Un día antes del examen, estudia poco o deja de estudiar. Tampoco deberías intentar aprender algo nuevo. Hay muchas razones por las que estudiar la noche antes de un examen importante puede ser perjudicial para ti. Pongámoslo así: un maratonista no saldría a correr antes del día de una gran carrera. Los maratonistas mentales -como tú- no deberían estudiar más de una hora 24 horas antes de un examen de GED. Esto se debe a que tu cerebro necesita descansar para estar en su mejor momento. La noche anterior al examen, pasa un rato con tu familia o amigos, o lee un libro.
- **Evita las pantallas brillantes** - La noche anterior al examen tendrás que dormir bien. Las pantallas brillantes (como las del ordenador portátil, la televisión o el dispositivo móvil) deben evitarse por completo. Mirar fijamente una pantalla de este tipo mantendrá tu cerebro despierto, lo que dificultará que te quedes dormido a una hora razonable.
- **Asegúrate de que tu cena es saludable** - La comida que tomes para cenar debe ser nutritiva. Asegúrate también de beber mucha agua. Aumenta la cantidad de carbohidratos complejos, como lo haría un corredor de maratón. La pasta, el arroz y las patatas son opciones ideales en este caso, al igual que las verduras y las fuentes de proteínas.
- **Prepara tu mochila para el día del examen** - La noche anterior al examen, prepara tu mochila con tu papelería, el pase de admisión, el carné de identidad y cualquier otro equipo que necesites. Guarda la bolsa junto a la puerta de tu casa.

- **Haga planes para llegar al sitio de** prueba: antes de irse a dormir, asegúrese de comprender con precisión cómo llegará al sitio de la prueba. Si el estacionamiento es algo que tendrá que encontrar primero, planifíquelo. dependes del transporte público, revisa el horario. También debe asegurarse de que el tren / autobús / metro / tranvía que utiliza estará funcionando. Infórmese también sobre los cierres de carreteras. Si un padre o amigo lo acompaña, asegúrese de que también entienda qué pasos debe tomar.

El día de la prueba

- Levantarse razonablemente temprano, pero no tan temprano.
- **Desayuna** - El desayuno mejora la concentración, la memoria y el estado de ánimo. Por ello, asegúrate de que el desayuno que tomas por la mañana es saludable. Lo último que quieres es distraerte con un malestar estomacal. Si no es tu propio estómago el que hace esos ruidos, puede que lo haga otro examinador cercano a ti. Evita el malestar o la vergüenza consumiendo un desayuno saludable. Lleva un tentempié si crees que lo vas a necesitar.
- **Sigue tu rutina diaria** - ¿Ves Good Morning America cada mañana mientras te preparas para el día? No rompas tus hábitos habituales el día del examen. Del mismo modo, si el café no es algo que tomas por la mañana, no retomes el hábito horas antes de tu examen. La consistencia de la rutina te permite concentrarte en el objetivo principal: dar lo mejor de ti en el examen.
- **Ponte sueter** - Vístete con ropa cómodas. Debes estar preparado para cualquier tipo de temperatura interior. Si hace demasiado calor durante la prueba, quítate una capa.
- **Llega a tiempo** - Lo último que quieres es llegar tarde al lugar de la prueba. Más bien, deberías estar allí 45 minutos antes del comienzo de la prueba. Al llegar, intenta no juntarte con nadie que esté nervioso. Cualquier energía ansiosa que muestren no debería influir en ti.
- **Deja los libros en casa** - No debes llevar libros al lugar del examen. Si empiezas a desarrollar ansiedad antes del examen, los libros podrían animarte a estudiar a última hora, lo que sólo te perjudicará. Mantén los libros lejos, o mejor aún, déjalos en casa.
- **Haga que su voz sea escuchada** - Si algo está mal, hable con un supervisor. Si necesita atención médica o si va a requerir algo, consulte al supervisor antes del inicio de la prueba. Cualquier duda que tengas debe ser aclarada. Debe ingresar al sitio de prueba con un estado mental que esté completamente claro.
- **Ten fe en ti mismo** - cuando te sientas seguro, podrás rendir al máximo. Cuando esté esperando a que comience la prueba, imagínese recibiendo un resultado sobresaliente. Trata de verte a ti mismo como alguien que conoce todas las respuestas, sin importar cuáles sean las preguntas. Muchos atletas tienden a usar esta técnica, especialmente antes de una gran competencia. Sus expectativas se verán reflejadas por su desempeño.

Durante la prueba

- **tranquilícese y respire profundamente:** tiene que relajarse antes del examen, y una respiración profunda le ayudará mucho a conseguirlo. Ten confianza y calma. Ya lo tienes. Todo el mundo se siente un poco estresado justo antes de que comience una evaluación de cualquier tipo. Aprende algunos ejercicios de respiración eficaces. Dedica un minuto a meditar antes de que empiece el examen. Filtra cualquier pensamiento negativo que tengas. Demuestra confianza cuando tengas esos pensamientos.
- **Concéntrate en el examen** - Abstente de compararte con los demás. No debes distraerte con la gente que está cerca de ti ni con ruidos aleatorios. Concéntrate exclusivamente en el examen. Si te irritan los ruidos del entorno, puedes utilizar tapones para bloquear los sonidos cercanos. No olvides que el examen va a durar varias horas si te presentas a más de un tema de la prueba. Parte de ese tiempo se dedicará a secciones breves. Concéntrate en la sección específica en la que estás trabajando durante un momento determinado. No dejes que tu mente divague hacia las secciones siguientes o anteriores.
- **Omite las preguntas difíciles**: optimiza tu tiempo al hacer el examen. Detenerse en una sola pregunta durante demasiado tiempo puede jugar en su contra. Si no sabes cuál es la respuesta a una determinada pregunta, utiliza tu mejor suposición y marca la pregunta para poder repasarla más tarde. No es necesario perder tiempo intentando resolver algo de lo que no estás seguro. Ese tiempo estaría mejor aprovechado para resolver las preguntas que sí puedes responder bien. No se te penalizará por haberte equivocado en una prueba de este tipo.
- **Intenta responder a cada pregunta individualmente** - Céntrate sólo en la pregunta en la que estás trabajando. Utiliza una de las estrategias de examen para resolver el problema. Si no eres capaz de dar una respuesta, no te frustres. Simplemente salta esa pregunta y pasa a la siguiente.
- **No te olvides de respirar.** Cada vez que notes que tu mente se desvía, que tus niveles de estrés aumentan o que la frustración se está gestando, tómate un descanso de treinta segundos. Cierra los ojos, deja caer el lápiz, respira profundamente y deja que tus hombros se relajen. Acabarás siendo más productivo cuando te permitas relajarte un momento.

- **Revisa tu respuesta**- Si todavía tiene tiempo al final de la prueba, no lo desperdicie. Regrese y revise sus respuestas. Vale la pena pasar por la prueba de principio a fin para asegurarse de que no cometió un error descuidado en alguna parte.

- **Optimice sus descansos** -cuando llegue el momento del descanso, use el baño, tome un refrigerio y reactive su energía para la sección posterior. Hacer algunos estiramientos puede ayudar a estimular el flujo sanguíneo.

Después de la prueba

- **Tómalo con calma** - Una vez que haya concluido el examen, tendrá que reservar un tiempo para relajarse y descomprimirse. No es necesario que te estreses por lo que podrías haber dicho o por lo que hayas hecho mal. En este momento, no hay nada que puedas hacer. Tu energía y tu tiempo estarían mejor invertidos en algo que te aporte felicidad para el resto del día.
- **Vuelve a hacer el examen** - ¿Has aprobado el examen? ¡Enhorabuena! Tu esfuerzo ha merecido la pena. Aprobar el examen significa que ya tienes los mismos conocimientos que alguien que ha terminado el bachillerato.
  Sin embargo, si has suspendido el examen, ¡no te preocupes! El examen se puede volver a realizar. En este caso, tendrás que seguir la política de repetición establecida por tu estado. También tendrás que volver a inscribirte para hacer el examen de nuevo.

Contenido

CAPÍTULO

1

Fracciones y números Mixtos

Temas matemáticos que aprenderás en este capítulo:

- ☑ Simplificación de fracciones
- ☑ Sumar y restar fracciones
- ☑ Multiplicar y dividir fracciones
- ☑ Adición de números mixtos
- ☑ Restar números mixtos
- ☑ Multiplicación de números mixtos
- ☑ Dividir números mixtos

Simplificación de fracciones

- Una fracción contiene dos números separados por una barra entre ellos. El número inferior, llamado denominador, es el número total de porciones igualmente divididas en un todo. El número superior, llamado numerador, es cuántas porciones tiene. Y la barra representa la operación de división.
- Simplificar una fracción significa reducirla a los términos más bajos. Para simplificar una fracción, divida uniformemente tanto la parte superior como la inferior de la fracción por, etc.$2, 3, 5, 7$
- Continúa hasta que no puedas ir más allá.

Ejemplos:

Ejemplos 1. Simplificar $\frac{18}{30}$

Solución: Para simplificar, encuentre un número que ambos y sean divisibles por. Ambos son divisibles por. Entonces: $\frac{18}{30}18306\frac{18}{30} = \frac{18 \div 6}{30 \div 6} = \frac{3}{5}$

Ejemplos 2. Simplificar $\frac{32}{80}$

Solución: Para simplificar $\frac{32}{80}$, encuentre un número que ambos 32 y 80 sean divisibles por. Ambos son divisibles 8 por y 16. Entonces: $\frac{32}{80} = \frac{32 \div 8}{80 \div 8} = \frac{4}{10}$, 4 y 10 son divisibles por 2, entonces: $\frac{4}{10} = \frac{2}{5}\frac{32}{80} = \frac{32 \div 16}{80 \div 16} = \frac{2}{5}$

Ejemplos 3. Simplificar $\frac{40}{120}$

Solución: Para simplificar $\frac{40}{120}$, encuentre un número que ambos 40 y 120 sean divisibles por. Ambos son divisibles por 40, entonces: $\frac{40}{120} = \frac{40 \div 40}{120 \div 40} = \frac{1}{3}$

Sumar y restar fracciones

- Para fracciones "similares" (fracciones con el mismo denominador), sume o reste los numeradores (números superiores) y escriba la respuesta sobre el denominador común (números inferiores).
- Sumando y restando fracciones con el mismo denominador:

$$\frac{a}{b}+\frac{c}{b}=\frac{a+c}{b} \qquad \frac{a}{b}-\frac{c}{b}=\frac{a-c}{b}$$

- Encuentre fracciones equivalentes con el mismo denominador antes de poder sumar o restar fracciones con diferentes denominadores.
- Añadiendo y restando fracciones con diferentes denominadores:

$$\frac{a}{b}+\frac{c}{d}=\frac{ad+bc}{bd} \qquad \frac{a}{b}-\frac{c}{d}=\frac{ad-bc}{bd}$$

Ejemplos:

Ejemplos 1. Encuentra la suma.$\frac{2}{3}+\frac{1}{2}=$

Solución: Estas dos fracciones son fracciones "diferentes". (tienen diferentes denominadores). Utilice esta fórmula: $\frac{a}{b}+\frac{c}{d}=\frac{ad+cb}{bd}$

Entonces: $\frac{2}{3}+\frac{1}{2}=\frac{(2)(2)+(3)(1)}{3\times 2}=\frac{4+3}{6}=\frac{7}{6}$

Ejemplos 2. Encuentra la diferencia.$\frac{3}{5}-\frac{2}{7}=$

Solución: Para fracciones "diferentes", encuentre fracciones equivalentes con el mismo denominador antes de poder sumar o restar fracciones con diferentes denominadores. Utilice esta fórmula:$\frac{a}{b}-\frac{c}{d}=\frac{ad-bc}{bd}$

$$\frac{3}{5}-\frac{2}{7}=\frac{(3)(7)-(2)(5)}{5\times 7}=\frac{21-10}{35}=\frac{11}{35}$$

Multiplicar y dividir fracciones

- **Multiplicar fracciones:** multiplicar los números superiores y multiplicar los números inferiores. Simplifique si es necesario. $\frac{a}{b} \times \frac{c}{d} = \frac{a \times c}{b \times d}$
- **Dividir fracciones:** Mantener, Cambiar, Voltear
- Mantenga la primera fracción, cambie el signo de división a multiplicación y voltee el numerador y el denominador de la segunda fracción. Entonces, ¡resuelva!

$$\frac{a}{b} \div \frac{c}{d} = \frac{a}{b} \times \frac{d}{c} = \frac{a \times d}{b \times c}$$

Ejemplos:

Ejemplos 1. Multiplicar. $\frac{2}{3} \times \frac{3}{5} =$

Solución: Multiplica los números superiores y multiplica los números inferiores.
$\frac{2}{3} \times \frac{3}{5} = \frac{2 \times 3}{3 \times 5} = \frac{6}{15}$, ahora, simplificar: $\frac{6}{15} = \frac{6 \div 3}{15 \div 3} = \frac{2}{5}$

Ejemplos 2. Resolver. $\frac{3}{4} \div \frac{2}{5} =$

Solución: Mantenga la primera fracción, cambie el signo de división a multiplicación y voltee el numerador y el denominador de la segunda fracción.
Entonces: $\frac{3}{4} \div \frac{2}{5} = \frac{3}{4} \times \frac{5}{2} = \frac{3 \times 5}{4 \times 2} = \frac{15}{8}$

Example 3. Calcular. $\frac{4}{5} \times \frac{3}{4} =$

Solución: Multiplica los números superiores y multiplica los números inferiores.
$\frac{4}{5} \times \frac{3}{4} = \frac{4 \times 3}{5 \times 4} = \frac{12}{20}$ simplificar: $\frac{12}{20} = \frac{12 \div 4}{20 \div 4} = \frac{3}{5}$

Example 4. Resolver. $\frac{5}{6} \div \frac{3}{7} =$

Solución: Mantenga la primera fracción, cambie el signo de división a multiplicación y voltee el numerador y el denominador de la segunda fracción.
Entonces: $\frac{5}{6} \div \frac{3}{7} = \frac{5}{6} \times \frac{7}{3} = \frac{5 \times 7}{6 \times 3} = \frac{35}{18}$

Más información en bit.ly/3haSiQ

Adición de números mixtos

Siga estos pasos para agregar números mixtos:

- Suma los números enteros de los números mixtos.
- Suma las fracciones de los números mixtos.
- Encuentre el mínimo común denominador (LCD) si es necesario.
- Suma números enteros y fracciones.
- Escribe tu respuesta en los términos más bajos.

Ejemplos:

Example 1. Agregue números mixtos.$2\frac{1}{2}+1\frac{2}{3}=$

Solución: Vamos a reescribir nuestra ecuación con partes separadas,

$$2\frac{1}{2}+1\frac{2}{3}=2+\frac{1}{2}+1+\frac{2}{3}$$

Ahora, agregue partes de números enteros: $2+1=3$

Agregue las partes de fracción $\frac{1}{2}+\frac{2}{3}$. Reescribe para resolver con las equivalentes fracciones. $\frac{1}{2}+\frac{2}{3}=\frac{3}{6}+\frac{4}{6}=\frac{7}{6}$. . La respuesta es una fracción impropia (el numerador es más grande que el denominador). Convierta la fracción impropia en un número mixto: $\frac{7}{6}=1\frac{1}{6}$. Ahora, combine las partes entera y fraccionada:

$$3+1\frac{1}{6}=4\frac{1}{6}$$

Example 2. Encuentra la suma. $1\frac{3}{4}+2\frac{1}{2}=$

Solución: Reescribir nuestra ecuación con partes separadas, $1+\frac{3}{4}+2+\frac{1}{2}$agregue las partes del número entero:

$1+2=3$. Agregue las partes de fracción: $\frac{3}{4}+\frac{1}{2}=\frac{3}{4}+\frac{2}{4}=\frac{5}{4}$

Convierta la fracción impropia en un número mixto: $\frac{5}{4}=1\frac{1}{4}$

Ahora, combine las partes entera y fraccionada: $3+1\frac{1}{4}=4\frac{1}{4}$

Restar números mixtos

Utilice estos pasos para restar números mixtos.

- Convierta números mixtos en fracciones impropias. $a\frac{c}{b} = \frac{ab+c}{b}$
- Encuentra fracciones equivalentes con el mismo denominador para fracciones diferentes. (fracciones con diferentes denominadores)
- Reste la segunda fracción de la primera. $\frac{a}{b} - \frac{c}{d} = \frac{ad-bc}{bd}$
- Escribe tu respuesta en los términos más bajos.
- Si la respuesta es una fracción impropia, conviértala en un número mixto.

Ejemplos:

Ejemplos 1. Restar. $2\frac{1}{3} - 1\frac{1}{2} =$

Solución: Convertir números mixtos en fracciones: y $2\frac{1}{3} = \frac{2\times3+1}{3} = \frac{7}{3}1\frac{1}{2} = \frac{1\times2+1}{2} = \frac{3}{2}$

Estas dos fracciones son fracciones "diferentes". (tienen diferentes denominadores). Encuentra fracciones equivalentes con el mismo denominador. Utilice esta fórmula:

$\frac{a}{b} - \frac{c}{d} = \frac{ad-bc}{bd}$

$\frac{7}{3} - \frac{3}{2} = \frac{(7)(2)-(3)(3)}{3\times2} = \frac{14-9}{6} = \frac{5}{6}$

Ejemplos 2. Encuentra la diferencia. $3\frac{4}{7} - 2\frac{3}{4} =$

Solución: Convertir números mixtos en fracciones: y $3\frac{4}{7} = \frac{3\times7+4}{7} = \frac{25}{7}2\frac{3}{4} = \frac{2\times4+3}{4} = \frac{11}{4}$

Entonces: $3\frac{4}{7} - 2\frac{3}{4} = \frac{25}{7} - \frac{11}{4} = \frac{(25)(4)-(11)(7)}{7\times4} = \frac{23}{28}$

Más información en bit.ly/3aD3KDG

Multiplicación de números mixtos

Utilice los siguientes pasos para multiplicar números mixtos:

- Convierte los números mixtos en fracciones. $a\frac{c}{b} = a + \frac{c}{b} = \frac{ab+c}{b}$
- Multiplica fracciones. $\frac{a}{b} \times \frac{c}{d} = \frac{a\times c}{b\times d}$
- Escribe tu respuesta en los términos más bajos.
- Si la respuesta es una fracción impropia (el numerador es mayor que el denominador), conviértala en un número mixto.

Ejemplos:

Example 1. Multiplicar. $4\frac{1}{2} \times 2\frac{2}{5} =$

Solución: Convierta números mixtos en fracciones, $4\frac{1}{2} = \frac{4\times2+1}{2} = \frac{9}{2}$ y $2\frac{2}{5} = \frac{2\times5+2}{5} = \frac{12}{5}$.
Aplique la regla de fracciones para la multiplicación: $\frac{9}{2} \times \frac{12}{5} = \frac{9\times12}{2\times5} = \frac{108}{10} = \frac{54}{5}$
La respuesta es una fracción impropia. Conviértelo en un número mixto. $\frac{54}{5} = 10\frac{4}{5}$

Example 2. Multiplicar. $3\frac{2}{3} \times 2\frac{5}{6} =$

Solución: Convertir números mixtos en fracciones, $3\frac{2}{3} \times 2\frac{5}{6} = \frac{11}{3} \times \frac{17}{6}$
Aplique la regla de fracciones para la multiplicación: $\frac{11}{3} \times \frac{17}{6} = \frac{11\times17}{3\times6} = \frac{187}{18} = 10\frac{7}{18}$

Example 3. Encuentra el producto. $5\frac{1}{4} \times 3\frac{3}{8} =$

Solución: Convertir números mixtos en fracciones: $5\frac{1}{4} = \frac{21}{4}$ y $3\frac{3}{8} = \frac{27}{8}$. Multiplica dos fracciones:

$\frac{21}{4} \times \frac{27}{8} = \frac{21\times27}{4\times8} = \frac{567}{32} = 17\frac{23}{32}$

Más información en bit.ly/3aPy7XJ

Dividir números mixtos

Siga estos pasos para dividir números mixtos:

- Convierte los números mixtos en fracciones. $a\frac{c}{b} = a + \frac{c}{b} = \frac{ab+c}{b}$
- Dividir fracciones: Mantener, Cambiar, Voltear: Mantener la primera fracción, cambiar el signo de división a multiplicación y voltear el numerador y denominador de la segunda fracción. Entonces, ¡resuelva!$\frac{a}{b} \div \frac{c}{d} = \frac{a}{b} \times \frac{d}{c} = \frac{a \times d}{b \times c}$
- Escribe tu respuesta en los términos más bajos.
- Si la respuesta es una fracción impropia (el numerador es mayor que el denominador), conviértala en un número mixto.

Ejemplos:

Example 1. Resolver. $2\frac{1}{3} \div 1\frac{1}{2}$

Solución: Convertir números mixtos en fracciones: y $2\frac{1}{3} = \frac{2\times3+1}{3} = \frac{7}{3}1\frac{1}{2} = \frac{1\times2+1}{2} = \frac{3}{2}$

Mantener, cambiar, voltear: . La respuesta es una fracción impropia. Conviértelo en un número mixto: $\frac{7}{3} \div \frac{3}{2} = \frac{7}{3} \times \frac{2}{3} = \frac{7\times2}{3\times3} = \frac{14}{9}\frac{14}{9} = 1\frac{5}{9}$

Example 2. Resolver. $3\frac{3}{4} \div 2\frac{2}{5}$

Solución: Convierta números mixtos en fracciones, luego resuelva:

$$3\frac{3}{4} \div 2\frac{2}{5} = \frac{15}{4} \div \frac{12}{5} = \frac{15}{4} \times \frac{5}{12} = \frac{75}{48} = 1\frac{9}{16}$$

Example 3. Resolver. $2\frac{4}{5} \div 1\frac{2}{3}$

Solución: Convertir números mixtos en fracciones: $2\frac{4}{5} \div 1\frac{2}{3} = \frac{14}{5} \div \frac{5}{3}$

Mantener, cambiar, voltear: $\frac{14}{5} \div \frac{5}{3} = \frac{14}{5} \times \frac{3}{5} = \frac{14\times3}{5\times5} = \frac{42}{25} = 1\frac{17}{25}$

Más información en bit.ly/2KLPk9k

Capítulo 1: Prácticas

Simplifique cada fracción.

1) $\frac{2}{8} =$

2) $\frac{5}{15} =$

3) $\frac{10}{90} =$

4) $\frac{12}{16} =$

5) $\frac{25}{45} =$

6) $\frac{42}{54} =$

7) $\frac{48}{60} =$

8) $\frac{52}{169} =$

Encuentra la suma o diferencia.

9) $\frac{3}{10} + \frac{2}{10} =$

10) $\frac{4}{9} - \frac{1}{9} =$

11) $\frac{2}{3} + \frac{6}{15} =$

12) $\frac{17}{24} - \frac{5}{8} =$

13) $\frac{7}{54} - \frac{1}{9} =$

14) $\frac{4}{5} - \frac{1}{6} =$

15) $\frac{6}{7} - \frac{3}{8} =$

16) $\frac{2}{13} + \frac{1}{4} =$

Encuentra los productos o cocientes.

17) $\frac{2}{9} \div \frac{4}{3} =$

18) $\frac{14}{5} \div \frac{28}{35} =$

19) $\frac{9}{25} \times \frac{5}{27} =$

20) $\frac{65}{72} \times \frac{12}{15} =$

Encuentra la suma.

21) $2\frac{1}{5} + 1\frac{2}{5} =$

22) $5\frac{1}{9} + 2\frac{7}{9} =$

23) $2\frac{3}{4} + 1\frac{1}{8} =$

24) $2\frac{2}{7} + 4\frac{1}{21} =$

25) $5\frac{3}{5} + 1\frac{4}{9} =$

26) $3\frac{3}{11} + 4\frac{6}{7} =$

Encuentra la diferencia.

27) $5\frac{1}{3} - 4\frac{2}{3} =$

28) $4\frac{7}{10} - 1\frac{3}{10} =$

29) $3\frac{1}{3} - 2\frac{2}{9} =$

30) $6\frac{1}{2} - 3\frac{1}{3} =$

31) $4\frac{3}{4} - 2\frac{1}{28} =$

32) $4\frac{2}{7} - 3\frac{1}{6} =$

33) $5\frac{3}{10} - 3\frac{3}{4} =$

34) $6\frac{9}{20} - 2\frac{1}{3} =$

Encuentra los productos.

35) $1\frac{1}{2} \times 2\frac{3}{7} =$

36) $1\frac{3}{4} \times 1\frac{3}{5} =$

37) $4\frac{1}{2} \times 1\frac{5}{6} =$

38) $1\frac{2}{7} \times 3\frac{1}{5} =$

39) $2\frac{1}{5} \times 5\frac{1}{2} =$

40) $2\frac{1}{2} \times 4\frac{4}{5} =$

41) $3\frac{1}{5} \times 4\frac{1}{2} =$

42) $4\frac{9}{10} \times 4\frac{1}{2} =$

Resolver.

43) $1\frac{1}{3} \div 1\frac{2}{3} =$

44) $2\frac{1}{4} \div 1\frac{1}{2} =$

45) $5\frac{1}{3} \div 3\frac{1}{2} =$

46) $3\frac{2}{7} \div 1\frac{1}{8} =$

47) $4\frac{1}{5} \div 2\frac{2}{3} =$

48) $1\frac{2}{3} \div 1\frac{3}{8} =$

49) $4\frac{1}{2} \div 2\frac{2}{3} =$

50) $1\frac{2}{11} \div 1\frac{1}{8} =$

Capítulo 1: Respuestas

1) $\frac{1}{4}$
2) $\frac{1}{3}$
3) $\frac{1}{9}$
4) $\frac{3}{4}$
5) $\frac{5}{9}$
6) $\frac{7}{9}$
7) $\frac{4}{5}$
8) $\frac{4}{13}$
9) $\frac{1}{2}$
10) $\frac{1}{3}$
11) $\frac{16}{15} = 1\frac{1}{15}$
12) $\frac{1}{12}$
13) $\frac{1}{54}$
14) $\frac{19}{30}$
15) $\frac{27}{56}$
16) $\frac{21}{52}$
17) $\frac{1}{6}$
18) $\frac{7}{2} = 3\frac{1}{2}$
19) $\frac{1}{15}$
20) $\frac{13}{18}$
21) $3\frac{3}{5}$
22) $7\frac{8}{9}$
23) $3\frac{7}{8}$
24) $6\frac{1}{3}$
25) $7\frac{2}{45}$
26) $8\frac{10}{77}$
27) $\frac{2}{3}$
28) $3\frac{2}{5}$
29) $1\frac{1}{9}$
30) $3\frac{1}{6}$
31) $2\frac{5}{7}$
32) $1\frac{5}{42}$
33) $1\frac{11}{20}$
34) $4\frac{7}{60}$
35) $3\frac{9}{14}$
36) $2\frac{4}{5}$
37) $8\frac{1}{4}$
38) $4\frac{4}{35}$
39) $12\frac{1}{10}$
40) 12
41) $14\frac{2}{5}$
42) $22\frac{1}{20}$
43) $\frac{4}{5}$
44) $1\frac{1}{2}$
45) $1\frac{11}{21}$
46) $2\frac{58}{63}$
47) $1\frac{23}{40}$
48) $1\frac{7}{33}$
49) $1\frac{11}{16}$
50) $1\frac{5}{99}$

CAPÍTULO

2 Decimales

Temas matemáticos que aprenderás en este capítulo:

- ☑ Comparación de decimales
- ☑ Redondeo de decimales
- ☑ Sumar y restar decimales
- ☑ Multiplicar y dividir decimales

Comparación de decimales

- Un decimal es una fracción escrita en una forma especial. Por ejemplo, en lugar de escribir puedes escribir$\frac{1}{2}$:0.5
- Un número decimal contiene un punto decimal. Separa la parte del número entero de la parte fraccionaria de un número decimal.
- Revisemos los valores de posición decimal: Ejemplo: **45.3861**

4: decenas	5: unidades	3: décimas
8: centésimas	6: milésimas	1: decenas de milésimas

- Para comparar dos decimales, compare cada dígito de dos decimales en el mismo valor de lugar. Comience desde la izquierda. Compara cientos, decenas, unos, décima, centésima, etc.
- Para comparar números, utilice estos símbolos:

Igual a $=$	Menos que $<$	Mayor que $>$
Mayor o igual que $\geq$	Menor o igual que $\leq$	

Ejemplos:

Example 1. Comparar 0.03 y. 0.30

Solución: 0.30 es mayor que 0.03, porque el décimo lugar de 0.30 es 3, pero el décimo lugar de 0.03 es cero. Luego: $0.03<0.30$

Example 2. Comparar 0.0917 y 0.217

Solución: 0.217 es mayor que 0.0917, porque el décimo lugar de 0.217 es 2, pero el décimo lugar de 0.0917 es cero. Entonces: $0.0917 < 0.217$

Redondeo de decimales

- Podemos redondear decimales a una cierta precisión o número de decimales. Esto se utiliza para hacer que los cálculos sean más fáciles de hacer y los resultados más fáciles de entender cuando los valores exactos no son demasiado importantes.
- Primero, deberá recordar los valores de su lugar: por ejemplo: **12.4869**

1: decenas	2: unidades	4: décimas
8: centésimas	6: milésimas	9: decenas de milésimas

- Para redondear un decimal, primero busque el valor de lugar al que redondeará.
- Busca el dígito a la derecha del valor de lugar al que estás redondeando. Si es 5 o mayor, agregue 1 al valor de lugar al que está redondeando y elimine todos los dígitos en su lado derecho. Si el dígito a la derecha del valor de lugar es menor que 5, mantenga el valor de lugar y elimine todos los dígitos de la derecha.

Ejemplos:

Example 1. Redondear al valor del milésimo lugar. 4.3679

Solución: Primero, mire el siguiente valor de lugar a la derecha (decenas de milésimas). Es y es mayor que . 95Así suma1 al dígito en el milésimo lugar. El lugar es . →77 + 1 = 8, entonces, la respuesta es 4.368

Example 2. Redondear a la centésima más cercana. 1.5237

Solución: Primero, mire el dígito a la derecha de centésima (valor de lugar de milésimas). Es y es menor que 35, por lo tanto, elimine todos los dígitos a la derecha del centésimo lugar. Entonces, la respuesta es 1.52

Sumar y restar decimales

- Alinea los números decimales.
- Agregue ceros para tener el mismo número de dígitos para ambos números si es necesario.
- Recuerda los valores de tu lugar: Por ejemplo: 73.5196

7: decenas	3: unidades	5: décimas
1: centésimas	9: milésimas	6: decenas de milésimas

- Suma o resta usando la suma o resta de columnas.

Ejemplos:

Example 1. Agregar. $1.7 + 4.12$

Solución: Primero, alinee los números: Agregue un cero para tener $\frac{\begin{array}{r}1.7\\+4.12\end{array}}{}$ →el mismo número de dígitos para ambos números. Comience con el lugar de las centésimas: , Continúe con el décimo lugar: , Agregue el lugar de los que se encuentran: , $\frac{\begin{array}{r}1.70\\+4.12\end{array}}{} \rightarrow 0 + 2 = 2\ \frac{\begin{array}{r}1.70\\+4.12\end{array}}{2} \rightarrow 7 + 1 = 8\ \frac{\begin{array}{r}1.70\\+4.12\end{array}}{.82} \rightarrow 4 + 1 = 5\ \frac{\begin{array}{r}1.70\\+4.12\end{array}}{5.82} \rightarrow$ La respuesta es 5. 82.

Example 2. Encuentra la diferencia. $5.58 - 4.23$

\ ***Solución***: Primero alinear los números: $\frac{\begin{array}{r}5.58\\-4.23\end{array}}{} \rightarrow$ Comience con el lugar de las centésimas: $8 - 3 = 5,\ \frac{\begin{array}{r}5.58\\-4.23\end{array}}{5} \rightarrow$ Continúa con décimas posiciones. $5 - 2 = 3,\ \frac{\begin{array}{r}5.58\\-4.23\end{array}}{.35} \rightarrow$ Resta el lugar. $5 - 4 = 1,\ \frac{\begin{array}{r}5.58\\-4.23\end{array}}{1.35}$

Multiplicar y dividir decimales

Para multiplicar decimales:

- Ignora el punto decimal y configura y multiplica los números como lo haces con los números enteros.
- Cuente el número total de decimales en ambos factores.
- Coloque el punto decimal en el producto.

Para dividir decimales:

- Si el divisor no es un número entero, mueva el punto decimal a la derecha para convertirlo en un número entero. Haga lo mismo con el dividendo.
- Divida de forma similar a los números enteros.

Ejemplos:

Example 1. Encuentra el producto. $0.65 \times 0.24 =$

Solución: Configure y multiplique los números como lo hace con los números enteros. Alinear los números: $\begin{array}{r} 65 \\ \underline{\times 24} \end{array}$ →Comience con los que se colocan y luego continúe con otros dígitos → $\begin{array}{r} 65 \\ \underline{\times 24} \\ 1{,}560 \end{array}$. Cuente el número total de decimales en ambos factores. Hay cuatro dígitos decimales. (dos por cada factor 0.65 y 0.24) Entonces: $0.65 \times 0.24 = 0.1560 = 0.156$

Example 2. Encuentra el cociente. $1.20 \div 0.4 =$

Solución: El divisor no es un número entero. Multiplícalo por 10 para obtener 4 : → $0.4 \times 10 = 4$

Haga lo mismo para que el dividendo obtenga. $12 \rightarrow 1.20 \times 10 = 12$

Ahora, divide $12 \div 4 = 3$. La respuesta es 3.

Capítulo 2: Prácticas

Comparar. Usar>, =, y <

1) 0.5 □ 0.6
2) 0.9 □ 0.8
3) 0.1 □ 0.2
4) 0.02 □ 0.06
5) 0.05 □ 0.08
6) 0.12 □ 0.09
7) 3.2 □ 2.5
8) 4.8 □ 8.4
9) 0.005 □ 0.05
10) 2.02 □ 20.020
11) 55.100 □ 55.10
12) 0.44 □ 0.440
13) 6.01 □ 6.0100
14) 0.77 □ 77.0

Redondee cada decimal al número entero más cercano.

15) 5.8
16) 6.4
17) 12.3
18) 9.2
19) 7.6
20) 22.4
21) 6.8
22) 15.9
23) 13.41
24) 16.78
25) 67.58
26) 42.67
27) 55.89
28) 14.32
29) 78.88
30) 98.29

Encuentra la suma o diferencia.

31) $12.1 + 36.2 =$

32) $56.3 - 22.2 =$

33) $45.1 + 12.8 =$

34) $27.9 - 16.4 =$

35) $98.8 - 56.6 =$

36) $28.45 + 13.22 =$

37) $16.78 + 45.11 =$

38) $86.16 - 72.12 =$

39) $96.23 - 28.32 =$

40) $57.33 + 67.46 =$

41) $46.26 - 39.49 =$

42) $44.95 + 76.53 =$

43) $79.37 - 52.89 =$

44) $19.99 + 28.7 =$

45) $83.48 - 49.3 =$

46) $19.6 + 42.98 =$

Encuentra el producto o cociente.

47) $3.3 \times 0.2 =$

48) $2.4 \div 0.3 =$

49) $8.1 \times 1.4 =$

50) $4.8 \div 0.2 =$

51) $4.1 \times 0.3 =$

52) $8.6 \div 0.2 =$

53) $9.9 \times 0.8 =$

54) $1.84 \div 0.2 =$

55) $2.1 \times 8.4 =$

56) $1.6 \times 4.5 =$

57) $9.2 \times 3.1 =$

58) $36.6 \div 1.6 =$

59) $1.91 \times 5.2 =$

60) $3.65 \times 1.4 =$

61) $24.82 \div 0.4 =$

62) $12.4 \times 4.20 =$

Capítulo 2: Respuestas

1) <
2) >
3) <
4) <
5) <
6) >
7) >
8) <
9) <
10) <
11) =
12) =
13) =
14) <
15) 6
16) 6
17) 12
18) 9
19) 8
20) 22
21) 7
22) 16
23) 13
24) 17
25) 68
26) 43
27) 56
28) 14
29) 79
30) 98
31) 48.3
32) 34.1
33) 57.9
34) 11.5
35) 42.2
36) 41.67
37) 61.89
38) 14.04
39) 67.91
40) 124.79
41) 6.77
42) 121.48
43) 26.48
44) 48.69
45) 34.18
46) 62.58
47) 0.66
48) 8
49) 11.34
50) 24
51) 1.23
52) 43
53) 7.92
54) 9.2
55) 17.64
56) 7.2
57) 28.52
58) 22.875
59) 9.932
60) 5.11
61) 62.05
62) 52.08

CAPÍTULO

3 Enteros y Orden de Operaciones

Temas matemáticos que aprenderás en este capítulo:

- ☑ Sumar y restar enteros
- ☑ Multiplicar y dividir enteros
- ☑ Orden de operaciones
- ☑ Enteros y valor absoluto

Sumar y restar enteros

- Los números enteros incluyen cero, números de conteo y el negativo de los números de conteo. $\{\ldots, -3, -2, -1, 0, 1, 2, 3, \ldots\}$
- Agregue un entero positivo moviéndose hacia la derecha en la recta numérica. (obtendrás un número mayor)
- Agregue un entero negativo moviéndose hacia la izquierda en la recta numérica. (obtendrás un número menor)
- Reste un entero sumando su opuesto.

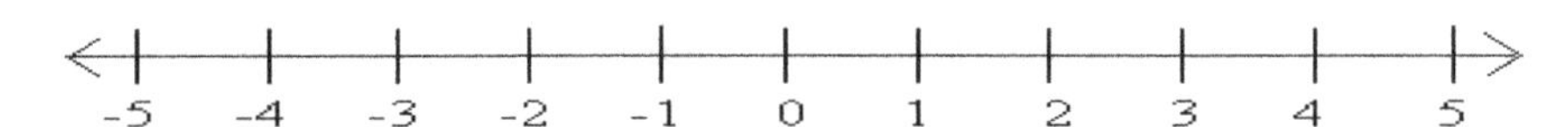

Ejemplos:

Example 1. Resolver. $(-2)-(-8) =$

Solución: Mantenga el primer número y convierta el signo del segundo número en su opuesto. (cambiar la resta en suma. Entonces: $(-2) + 8 = 6$

Example 2. Resolver. $4 + (5 - 10) =$

Solución: Primero, reste los números entre paréntesis, $5 - 10 = -5$
Entonces: $\rightarrow$ cambiar suma en resta: $4 + (-5) = 4 - 5 = -1$

Example 3. Resolver. $(9-14) + 15 =$

Solución: Primero, reste los números entre paréntesis, $9 - 14 = -5$
Entonces: $\rightarrow -5 + 15 = -5 + 15 = 10$

Example 4. Resolver. $12 + (-3 - 10) =$

Solución: Primero restar los números entre paréntesis, $-3 - 10 = -13$
Entonces: $\rightarrow$ cambiar suma en resta: $12 + (-13) = 12 - 13 = -1$

Multiplicar y dividir enteros

Utilice las siguientes reglas para multiplicar y dividir enteros:

- (negativo) × (negativo) = positivo
- (negativo) ÷ (negativo) = positivo
- (negativo) × (positivo) = negativo
- (negativo) ÷ (positivo) = negativo
- (positivo) × (positivo) = positivo
- (positivo) ÷ (negativo) = negativo

Ejemplos:

Example 1. Resolver. $3 \times (-4) =$

Solución: Use esta regla: (positivo) × (negativo) = negativo.
Entonces: $(3) \times (-4) = -12$

Example 2. Resolver. $(-3) + (-24 \div 3) =$

Solución: Primero, divida−24 por, los números entre paréntesis, use esta regla: 3 (negativo) ÷ (positivo) = negativo. Entonces: $-24 \div 3 = -8$
$(-3) + (-24 \div 3) = (-3) + (-8) = -3 - 8 = -11$

Example 3. Resolver. $(12 - 15) \times (-2) =$

Solución: Primero, reste los números entre paréntesis,
$12 - 15 = -3 \rightarrow (-3) \times (-2) =$
Ahora use esta regla: (negativo) (negativo) = positivo× $\rightarrow (-3) \times (-2) = 6$

Example 4. Resolver. $(12 - 8) \div (-4) =$

Solución: Primero, reste los números entre paréntesis,
$12 - 8 = 4 \rightarrow (4) \div (-4) =$
Ahora use esta regla: (positivo) ÷ (negativo) = negativo →
$(4) \div (-4) = -1$

Orden de operaciones

- En Matemáticas, las "operaciones" son suma, resta, multiplicación, división, exponenciación (escrito como), y agrupación.b^n
- Cuando haya más de una operación matemática en una expresión, use PEMDAS: (para memorizar esta regla, recuerde la frase "Por favor, disculpe a mi querida tía Sally".)
  - Paréntesis
  - Exponentes
  - Multiplicación y división (de izquierda a derecha)
  - Suma y resta (de izquierda a derecha)

Ejemplos:

Example 1. Calcular. $(2 + 6) \div (2^2 \div 4) =$

Solución: Primero, simplifique entre paréntesis:
$(8) \div (4 \div 4) = (8) \div (1)$Entonces: $(8) \div (1) = 8$

Example 2. Resolver. $(6 \times 5) - (14 - 5) =$

Solución: Primero, calcule entre paréntesis, Luego: $(6 \times 5) - (14 - 5) = (30) - (9)(30) - (9) = 21$

Example 3. Calcular. $-4[(3 \times 6) \div (9 \times 2)] =$

Solución: Primero, calcule entre paréntesis:
$-4[(18) \div (9 \times 2)] = -4[(18) \div (18)] = -4[1]$
multiplicar y. Entonces: $-41 - 4[1] = -4$

Example 4. Resolver. $(28 \div 7) + (-19 + 3) =$

Solución: Primero, calcule entre paréntesis:
$(28 \div 7) + (-19 + 3) = (4) + (-16)$ Entonces: $(4) - (16) = -12$

Más información en bit.ly/37LBw7X

Enteros y valor absoluto

- El valor absoluto de un número es su distancia desde cero, en cualquier dirección, en la recta numérica. Por ejemplo, la distancia de y desde cero en la recta numérica es .9 – 99
- El valor absoluto de un entero es el valor numérico sin su signo. (negativo o positivo)
- La barra vertical se utiliza para el valor absoluto como en. $|x|$
- El valor absoluto de un número nunca es negativo; porque solo muestra, "qué tan lejos está el número de cero".

Ejemplos:

Example 1. Calcular. $|14 - 2| \times 5 =$

Solución: Primero, resuelva, →, el valor absoluto de es, $|14 - 2||14 - 2| = |12|1212|12| = 12$, Entonces: $12 \times 5 = 60$

Example 2. Resolver. $\frac{|-24|}{4} \times |5 - 7| =$

Solución: Primero, encuentre → el valor absoluto de es $|-24| - 2424$. estones: $|-24| = 24\frac{24}{4} \times |5 - 7| =$

Ahora, calcule, →, el valor absoluto de es. $|5 - 7||5 - 7| = |-2| - 22|-2| = 2$ estones: $\frac{24}{4} \times 2 = 6 \times 2 = 12$

Example 3. Resolver. $|8 - 2| \times \frac{|-4\times 7|}{2} =$

Solución: Primero, calcule, →, el valor absoluto de es,Entonces: $|8 - 2||8 - 2| = |6|66|6| = 66 \times \frac{|-4\times 7|}{2}$

Ahora calcula $|-4 \times 7|$, → $|-4 \times 7| = |-28|$, el valor absoluto de -28 es 28, $|-28| = 28$, Entonces: $6 \times \frac{28}{2} = 6 \times 14 = 84$

Más información en bit.ly/3aD521u

Capítulo 3: Prácticas

Encuentra cada suma o diferencia.

1) $-9 + 16 =$
2) $-18 - 6 =$
3) $-24 + 10 =$
4) $30 + (-5) =$
5) $15 + (-3) =$
6) $(-13) + (-4) =$
7) $25 + (3 - 10) =$
8) $12 - (-6 + 9) =$
9) $5 - (-2 + 7) =$
10) $(-11) + (-5 + 6) =$
11) $(-3) + (9 - 16) =$
12) $(-8) - (13 + 4) =$
13) $(-7 + 9) - 39 =$
14) $(-30 + 6) - 14 =$
15) $(-5 + 9) + (-3 + 7) =$
16) $(8 - 19) - (-4 + 12) =$
17) $(-9 + 2) - (6 - 7) =$
18) $(-12 - 5) - (-4 - 14) =$

Resolver.

19) $3 \times (-6) =$
20) $(-32) \div 4 =$
21) $(-5) \times 4 =$
22) $(25) \div (-5) =$
23) $(-72) \div 8 =$
24) $(-2) \times (-6) \times 5 =$
25) $(-2) \times 3 \times (-7) =$
26) $(-1) \times (-3) \times (-5) =$
27) $(-2) \times (-3) \times (-6) =$
28) $(-12 + 3) \times (-5) =$
29) $(-3 + 4) \times (-11) =$
30) $(-9) \times (6 - 5) =$
31) $(-3 - 7) \times (-6) =$
32) $(-7 + 3) \times (-9 + 6) =$
33) $(-15) \div (-17 + 12) =$
34) $(-3 - 2) \times (-9 + 7) =$
35) $(-15 + 31) \div (-2) =$
36) $(-64) \div (-16 + 8) =$

Evalúa cada expresión.

37) $3 + (2 \times 5) =$

38) $(5 \times 4) - 7 =$

39) $(-9 \times 2) + 6 =$

40) $(7 \times 3) - (-5) =$

41) $(-8) + (2 \times 7) =$

42) $(9 - 6) + (3 \times 4) =$

43) $(-19 + 5) + (6 \times 2) =$

44) $(32 \div 4) + (1 - 13) =$

45) $(-36 \div 6) - (12 + 3) =$

46) $(-16 + 5) - (54 \div 9) =$

47) $(-20 + 4) - (35 \div 5) =$

48) $(42 \div 7) + (2 \times 3) =$

49) $(28 \div 4) + (2 \times 6) =$

50) $2[(3 \times 3) - (4 \times 5)] =$

51) $3[(2 \times 8) + (4 \times 3)] =$

52) $2[(9 \times 3) - (6 \times 4)] =$

53) $4[(4 \times 8) \div (4 \times 4)] =$

54) $-5[(10 \times 8) \div (5 \times 8)] =$

Encuentra las respuestas.

55) $|-5| + |7 - 10| =$

56) $|-4 + 6| + |-2| =$

57) $|-9| + |1 - 9| =$

58) $|-7| - |8 - 12| =$

59) $|9 - 11| + |8 - 15| =$

60) $|-7 + 10| - |-8 + 3| =$

61) $|-12 + 6| - |3 - 9| =$

62) $5 + |2 - 6| + |3 - 4| =$

63) $-4 + |2 - 6| + |1 - 9| =$

64) $\frac{|-42|}{7} \times \frac{|-64|}{8} =$

65) $\frac{|-100|}{10} \times \frac{|-36|}{6} =$

66) $|4 \times (-2)| \times \frac{|-27|}{3} =$

67) $|-3 \times 2| \times \frac{|-40|}{8} =$

68) $\frac{|-54|}{6} - |-3 \times 7| =$

69) $\frac{|-72|}{8} + |-7 \times 5| =$

70) $\frac{|-121|}{11} + |-6 \times 4| =$

71) $\frac{|(-6)\times(-3)|}{9} \times \frac{|2\times(-20)|}{5} =$

72) $\frac{|(-3)\times(-8)|}{6} \times \frac{|9\times(-4)|}{12} =$

Capítulo 3: Respuestas

1) 7
2) −24
3) −14
4) 25
5) 12
6) −17
7) 18
8) 9
9) 0
10) −10
11) −10
12) −25
13) −37
14) −38
15) 8
16) −19
17) −6
18) 1
19) −18
20) −8
21) −20
22) −5
23) −9
24) 60
25) 42
26) −15
27) −36
28) 45
29) −11
30) −9
31) 60
32) 12
33) 3
34) 10
35) −8
36) 8
37) 13
38) 13
39) −12
40) 26
41) 6
42) 15
43) −2
44) −4
45) −21
46) −17
47) −23
48) 12
49) 19
50) −22
51) 84
52) 6
53) 8
54) −10
55) 8
56) 4
57) 17
58) 3
59) 9
60) −2
61) 0
62) 10
63) 8
64) 48
65) 60
66) 72
67) 30
68) −12
69) 44
70) 35
71) 16
72) 12

CAPÍTULO

4 Razones y Proporciones

Temas matemáticos que aprenderás en este capítulo:

- ☑ Simplificación de ratios
- ☑ Ratios proporcionales
- ☑ Similitud y ratios implificación de ratios

29

Simplificación de ratios

- Las proporciones se utilizan para hacer comparaciones entre dos números.
- Las proporciones se pueden escribir como una fracción, usando la palabra "a", o con dos puntos. Ejemplo: o "3 a 4" o 3:4$\frac{3}{4}$
- Puede calcular proporciones equivalentes multiplicando o dividiendo ambos lados de la relación por el mismo número.

Ejemplos:

Example 1. Simplificar. $8:2 =$

Solución: Ambos números y son divisibles por 822 $\Rightarrow 8 \div 2 = 4$,
$4 \div 2 = 2$Entonces: $8:2 = 4:1$

Example 2. Simplificar. $\frac{9}{33} =$

Solución: Ambos números y son divisibles por 9333 $\Rightarrow 33 \div 3 = 11$, , Entonces: $9 \div 3 = 3 \frac{9}{33} = \frac{3}{11}$

Example 3. Hay 24 estudiantes en una clase y 10 son niñas. Encuentre la proporción de niñas y niños en esa clase.

Solución: Reste de para encontrar el número de niños en la clase.1024
$24 - 10 = 14$. Hay niños en la clase. Por lo tanto, 14la proporción de niñas a niños es. Ahora, simplifique esta proporción. Ambos y son divisibles por. 10: 1414102
Entonces: y. En $14 \div 2 = 710 \div 2 = 5$la forma más simple, esta proporción es $5:7$

Example 4. Una receta requiere mantequilla y azúcar en la proporción. Si estás usando 9 tazas de mantequilla, ¿cuántas tazas de azúcar debes usar? $3:4$

Solución: Ya que usa 9 tazas de mantequilla, o 3 veces más, necesitas multiplicar la cantidad de azúcar por 3. Entonces: $4 \times 3 = 12$. Así que necesitas use 12 tazas de azúcar. Puede resolver esto usando fracciones equivalentes: $\frac{3}{4} = \frac{9}{12}$

Ratios proporcionales

- Dos proporciones son proporcionales si representan la misma relación.
- Una proporción significa que dos proporciones son iguales. Se puede escribir de dos maneras: $\frac{a}{b} = \frac{c}{d}$ $a : b = c : d$
- La proporción se puede escribir como: $\frac{a}{b} = \frac{c}{d} a \times d = c \times b$

Ejemplos:

Example 1. Resuelva esta proporción para.x $\frac{2}{5} = \frac{6}{x}$

Solución: Utilice la multiplicación cruzada: $\frac{2}{5} = \frac{6}{x} \Rightarrow 2 \times x = 6 \times 5 \Rightarrow 2x = 30$

Divide ambos lados por 2 para encontrar:$x x = \frac{30}{2} \Rightarrow x = 15$

Example 2. Si una caja contiene bolas rojas y azules en proporción de rojo a azul, ¿cuántas bolas rojas hay si hay bolas azules en la caja? 3: 545

Solución: Escribe una proporción y resuelve. $\frac{3}{5} = \frac{x}{45}$

Utilice la multiplicación cruzada: $3 \times 45 = 5 \times x \Rightarrow 135 = 5x$

Divide para encontrar x : $x = \frac{135}{5} \Rightarrow x = 27$. Hay 27 bolas rojas en la caja.

Example 3. Resuelva esta proporción para.x $\frac{4}{9} = \frac{16}{x}$

Solución: Utilice la multiplicación cruzada: $\frac{4}{9} = \frac{16}{x} \Rightarrow 4 \times x = 9 \times 16 \Rightarrow 4x = 144$

Divide para encontrar:x $x = \frac{144}{4} \Rightarrow x = 36$

Example 4. Resuelva esta proporción para. $x \frac{5}{7} = \frac{20}{x}$

Solución: Utilice la multiplicación cruzada: $\frac{5}{7} = \frac{20}{x} \Rightarrow 5 \times x = 7 \times 20 \Rightarrow 5x = 140$

Divide para encontrar x: $x = \frac{140}{5} \Rightarrow x = 28$

Similitud y ratios

- Dos figuras son similares si tienen la misma forma.
- Dos o más figuras son similares si los ángulos correspondientes son iguales y los lados correspondientes están en proporción.

Ejemplos:

Example 1. Los siguientes triángulos son similares. ¿Cuál es el valor del lado desconocido?

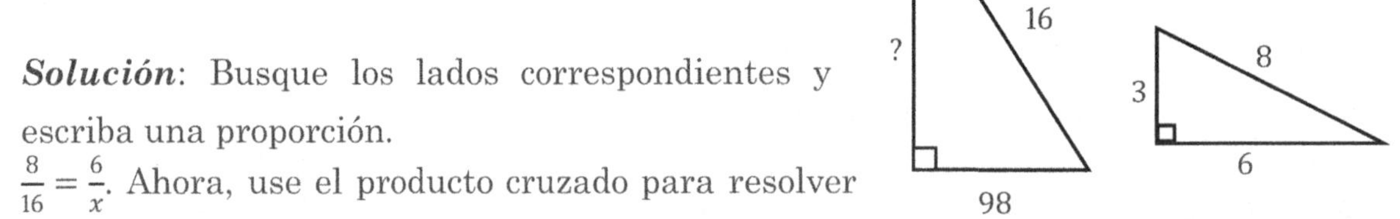

Solución: Busque los lados correspondientes y escriba una proporción.
$\frac{8}{16} = \frac{6}{x}$. Ahora, use el producto cruzado para resolver para: x
$\frac{8}{16} = \frac{6}{x} \rightarrow 8 \times x = 16 \times 6 \rightarrow 8x = 96$. Divide ambos lados por 8. Entonces: $8x = 96 \rightarrow x = \frac{96}{8} \rightarrow x = 12$

El lado que falta es 12.

Example 2. Dos rectángulos son similares. El primero tiene 5 pies de ancho y 15 pies de largo. El segundo tiene 10 pies de ancho. ¿Cuál es la longitud del segundo rectángulo?

Solución: Pongamos para la longitud del segundo rectángulo. Dado que dos rectángulos son similares, sus lados correspondientes están en proporción. Escriba una proporción y resuelva el número que falta.x

$$\frac{5}{10} = \frac{15}{x} \rightarrow 5x = 10 \times 15 \rightarrow 5x = 150 \rightarrow x = \frac{150}{5} = 30$$

La longitud del segundo rectángulo es 30 pies.

Capítulo 4: Prácticas

Reducir cada proporción.

1) $2:18 =$ ___:___

$28:63 =$ ___:___

$5:35 =$ ___:___

$18:81 =$ ___:___

$8:72 =$ ___:___

$13:52 =$ ___:___

$24:36 =$ ___:___

$56:72 =$ ___:___

$25:40 =$ ___:___

$42:63 =$ ___:___

$40:72 =$ ___:___

$32:96 =$ ___:___

Resolver.

Bob tiene 16 tarjetas rojas y 20 tarjetas verdes. ¿Cuál es la proporción de las tarjetas rojas de Bob con respecto a sus tarjetas verdes? __________

En una fiesta, se requieren 34 refrescos por cada 20 invitados. Si hay 260 invitados, ¿cuántos refrescos se requieren? __________

Sara tiene 56 bolígrafos azules y 28 bolígrafos negros. ¿Cuál es la proporción de bolígrafos negros de Sara con respecto a sus bolígrafos azules? __________

En la clase de Jack, 48 de los estudiantes son altos y 20 son bajos. En la clase de Michael, 28 estudiantes son altos y 12 estudiantes son bajos. ¿Qué clase tiene una proporción más alta de estudiantes altos a bajos? __________

El precio de 6 manzanas en el Quick Market es de $1. 52. El precio de 5 de las mismas manzanas en Walmart es de $1. 32. ¿Qué lugar es la mejor compra? ____

Los panaderos de una panadería pueden hacer 180 bagels en 6 horas. ¿Cuántos agels pueden hornear en 16 horas? ¿Cuál es esa tarifa por hora? ______

Puedes comprar 6 latas de verde frijoles en un supermercado por $3.48. ¿Cuánto cuesta comprar 38? latas de judías verdes? ________

Resuelve cada proporción.

20) $\frac{3}{2}=\frac{9}{x}\Rightarrow x=$ ___

21) $\frac{7}{2}=\frac{x}{4}\Rightarrow x=$ ___

22) $\frac{1}{3}=\frac{2}{x}\Rightarrow x=$ ___

23) $\frac{1}{4}=\frac{5}{x}\Rightarrow x=$ ___

24) $\frac{9}{6}=\frac{x}{2}\Rightarrow x=$ ___

25) $\frac{3}{6}=\frac{5}{x}\Rightarrow x=$ ___

26) $\frac{7}{x}=\frac{2}{6}\Rightarrow x=$ ___

27) $\frac{2}{x}=\frac{4}{10}\Rightarrow x=$ ___

28) $\frac{3}{2}=\frac{x}{8}\Rightarrow x=$ ___

29) $\frac{x}{6}=\frac{5}{3}\Rightarrow x=$ ___

30) $\frac{3}{9}=\frac{5}{x}\Rightarrow x=$ ___

31) $\frac{4}{18}=\frac{2}{x}\Rightarrow x=$ ___

32) $\frac{6}{16}=\frac{3}{x}\Rightarrow x=$ ___

33) $\frac{2}{5}=\frac{x}{20}\Rightarrow x=$ ___

34) $\frac{28}{8}=\frac{x}{2}\Rightarrow x=$ ___

35) $\frac{3}{5}=\frac{x}{15}\Rightarrow x=$ ___

36) $\frac{2}{7}=\frac{x}{14}\Rightarrow x=$ ___

37) $\frac{x}{18}=\frac{3}{2}\Rightarrow x=$ ___

38) $\frac{x}{24}=\frac{2}{6}\Rightarrow x=$ ___

39) $\frac{5}{x}=\frac{4}{20}\Rightarrow x=$ ___

40) $\frac{10}{x}=\frac{20}{80}\Rightarrow x=$ ___

41) $\frac{90}{6}=\frac{x}{2}\Rightarrow x=$ ___

Resuelve cada problema.

42) Dos rectángulos son similares. El primero es ancho y largo. El segundo es amplio. ¿Cuál es la longitud del segundo rectángulo? ________________ $8\ feet 32\ feet 12\ feet$

43) Dos rectángulos son similares. Una es por. El lado más largo del segundo rectángulo es. ¿Cuál es el otro lado del segundo rectángulo? __________________ $4.6\ meters 7\ meters 28\ meters$

Capítulo 4: Respuestas

1) 1: 9
2) 1: 7
3) 1: 9
4) 2: 3
5) 5: 8
6) 5: 9
7) 4: 9
8) 2: 9
9) 1: 4
10) 7: 9
11) 2: 3
12) 1: 3
13) 4: 5
14) 442
15) 1: 2

16) $Jack's\ class: \frac{48}{20} = \frac{12}{5} Michael's\ class: \frac{28}{12} = \frac{7}{3}$ La clase de Jack tiene una proporción más alta de estudiante alto a bajo: $\frac{12}{5} > \frac{7}{3}$

17) Mercado rápido
18) 48030, bagels por hora
19) $22.04
20) 6
21) 14
22) 6
23) 20
24) 3
25) 10
26) 21
27) 5
28) 12
29) 10
30) 15
31) 9
32) 8
33) 8
34) 7
35) 9
36) 4
37) 27
38) 8
39) 25
40) 40
41) 30
42) 48 *meters*
43) 18.4 *meters*

CAPÍTULO

5 Percentaje

Temas matemáticos que aprenderás en este capítulo:

- ☑ Porcentaje de problemas
- ☑ Porcentaje de aumento y disminución
- ☑ Descuento, impuestos y propinas
- ☑ Interés simple

Porcentaje de problemas

- El porcentaje es una proporción de un número y 100. Siempre tiene el mismo denominador, 100. El símbolo porcentaje es "%".
- Porcentaje significa "por 100". Entonces, el 20% es.$\frac{20}{100}$
- En cada problema porcentual, estamos buscando la base, o la parte o el porcentaje.
- Use estas ecuaciones para encontrar cada sección faltante en un problema porcentual:

  - Base = Parte ÷ por ciento
  - Parte = Porcentaje × base
  - Porcentaje = Parte ÷ base

Ejemplos:

Example 1. ¿Qué es de? 20%40

Solución: En este problema, tenemos el porcentaje () y 20%la base () y estamos buscando la "parte". Utilice esta fórmula:40$Part = Percent \times Base$
Entonces: La respuesta: de es.$Part = 20\% \times 40 = \frac{20}{100} \times 40 = 0.20 \times 40 = 820\%408$

Example 2. 25 es qué porcentaje de?500

Solución: En este problema, estamos buscando el porcentaje. Utilice esta ecuación:$Percent = Part \div Base \rightarrow Percent = 25 \div 500 = 0.05 = 5\%$.
Entonces: es el 5 por ciento de.25500

Example 3. 80 ¿Es el 20 por ciento de qué número?

Solución: En este problema, estamos buscando la base. Usa esta ecuación:
$Base = Part \div Percent \rightarrow Base = 80 \div 20\% = 80 \div 0.20 = 400$
Entonces: 80 es 20 porcentaje de 400.

Porcentaje de aumento y disminución

- El porcentaje de cambio (aumento o disminución) es un concepto matemático que representa el grado de cambio a lo largo del tiempo.
- Para encontrar el porcentaje de aumento o disminución:

  1. Nuevo número – Número original
  2. (El resultado ÷ número original) × 100

- O use esta fórmula: Porcentaje de cambio = $\frac{new\ number - original\ number}{original\ number} \times 100$
- Nota: Si su respuesta es un número negativo, entonces esto es una disminución porcentual. Si es positivo, entonces esto es un aumento porcentual.

Ejemplos:

Example 1. El precio de una camisa aumenta de $\$30$ a $\$36$. ¿Cuál es el porcentaje de aumento?

Solución: Primero, encuentre la diferencia: $36 - 30 = 6$

Entonces: $(6 \div 30) \times 100 = \frac{6}{30} \times 100 = 20$del aumento porcentual es 20%. Significa que el precio de la camisa aumentó en un 20%.

Example 2. El precio de una mesa disminuyó de a. ¿Cuál es el porcentaje de $\$50\$35$disminución?

Solución: Uso ésta fórmula:

$$Percent\ of\ change = \frac{new\ number - original\ number}{original\ number} \times 100 =$$

$\frac{35-50}{50} \times 100 = \frac{-15}{50} \times 100 = -30$. La disminución porcentual es de 30. (el signo negativo significa disminución porcentual) Por lo tanto, el precio de la tabla disminuyó en un 30%.

Más información en bit.ly/3pgPQes

Descuento, impuestos y propinas

- Para encontrar el descuento: Multiplica el precio regular por la tasa de descuento
- Para encontrar el precio de venta: Precio original – descuento
- Para encontrar el impuesto: Multiplique la tasa impositiva por la cantidad imponible (ingresos, valor de la propiedad, etc.)
- Para encontrar la propina, multiplique la tasa por el precio de venta.

Ejemplos:

Example 1. Con un descuento, ella 20%ahorró $50 en un vestido. ¿Cuál era el precio original del vestido?

Solución: sea x el precio original del vestido. Entonces: $20\ \%\ of\ x = 50$ Escribe una ecuación y resuelve para x: $x 0.20 \times x = 50 \rightarrow x = \frac{50}{0.20} = 250$. El precio original del vestido era de 250 dólares.

Example 2. Sophia compró una computadora nueva por un precio de $ 820 en la Apple Store. ¿Cuál es el monto total que se le cobra a su tarjeta de crédito si el impuesto sobre las ventas es del 5%?

Solución: El monto imponible es de $ 820 y la tasa impositiva es del 5%. Entonces: $Tax = 0.05 \times 820 = 41$
$Final\ price = Selling\ price + Tax \rightarrow final\ price = \$820 + \$41 = \$861$

Example 3. Nicole y sus amigas salieron a comer a un restaurante. Si su factura era de $ 60.00 y le dieron a su servidor una propina del 15%, ¿cuánto pagaron en total?

Solución: primero encontrar la propina. Para encontrar la propina, multiplica la tarifa por el importe de la factura.

$Propina = 60 \times 0.15 = 9$. El precio final es: $\$60 + \$9 = \$69$

Más información en bit.ly/2Je5lo0

Interés Simple.

- Interés simple: El cargo por pedir dinero prestado o el retorno por prestarlo.
- El interés simple se calcula sobre la cantidad inicial (principal).
- Para resolver un problema de interés simple, use esta fórmula:

$Interest = principal \times rate \times time \qquad (I = p \times r \times t = prt)$

Ejemplos:

Ejemplo 1. Encuentre el interés simple para una inversión de \$200 al 5% durante 3 años.

Solución: usar la fórmula de interés simple:

$I = prt$ (, y)$P = \$200 r = 5\% = \frac{5}{100} = 0.05\ t = 3$
Entonces: $I = 200 \times 0.05 \times 3 = \$30$

Ejemplo 2. Encuentra un interés simple para en durante años.\$1,2008%6

Solución: Utilice la fórmula de interés:
$I = prt$ (, y)$P = \$1{,}200 r = 8\% = \frac{8}{100} = 0.08\ t = 6$
Entonces: $I = 1{,}200 \times 0.08 \times 6 = \$576$

Ejemplo3.Andyrecibióun préstamo estudiantil para pagar sus gastos educativos este año. ¿Cuál es el interés del préstamo si pidió prestados \$4,500 al 6% durante 5 años?

Solución: Utilice la fórmula de interés: $I = prtP = \$4{,}500$r $= 6\% = 0.06\ t = 5$
Entonces: $I = 4{,}500 \times 0.06 \times 5 = \$1{,}350$

Ejemplo 4. Bob está comenzando su propio pequeño negocio. Pidió prestados \$ 20,000 del banco a una tasa del 8% durante 6 meses. Encuentre el interés que Bob pagará por este préstamo.

Solución: Utilice la fórmula de interés:
$I = prt.$, $P = \$20{,}000\ r = 8\% = 0.08$ y Entonces $t = 0.5$
(6 meses es medio año) Entonces: $I = 20{,}000 \times 0.08 \times 0.5 = \$800$

Capítulo 5: Prácticas

Resuelve cada problema.

1) ¿cuál 15% de 60? ____
2) ¿cuál es el 55% de 800?
3) ¿cuál es el 22% de 120? ____
4) ¿cuál es el 18% de 40? ____
5) ¿Qué porcentaje de 200 es 90? _
6) ¿qué porcentaje de 150 es 30? ____
7) ¿qué porcentaje de 250 es 14? ____ %
8) ¿Qué porcentaje de 300 son 60? ____%
9) ¿30 es el 120% de qué número? ____
10) ¿120 es el 20 por ciento de qué número? ____
11) ¿15 es el 5 por ciento de qué número? ____
12) ¿22 es el 20% de qué número? ______

Resuelve cada problema.

13) Bob obtuvo un aumento, y su salario por hora aumentó de $15 a $21 ¿Cuál es el porcentaje de aumento? _____ %

14) El precio de un par de zapatos aumenta de $32 a $36. ¿Cuál es el porcentaje de aumento? ___ %

15) En una cafetería Shop, el precio de una taza de café aumentó de $1.35 a $1.62. ¿Cuál es el aumento porcentual en el costo del café? _____ %

16) ¿Una camisa de $45 que ahora se vende por $ 36 tiene un descuento de qué porcentaje? _____ %

17) Joe obtuvo 30 de 35 calificaciones en Álgebra, 20 de 30 calificaciones en ciencias y 58 de 70 calificaciones en matemáticas. ¿En qué materia es mejor su porcentaje de notas? _____

18) Emma compró una computadora por $ 420. La computadora tiene un precio regular de $ 480. ¿Cuál fue el porcentaje de descuento que Emma recibió en la computadora? _____

Encuentra el precio de venta de cada artículo.

19) Precio original de una computadora: $600

20) Impuestos: 8%, Precio de venta: $_______

21) Precio original de una computadora portátil: $ 450

22) Impuestos: 10%, Precio de venta: $_______

23) Nicolás contrató a una empresa de mudanzas. La compañía cobró $ 500 por sus servicios, y Nicolas les da a los transportistas una propina del 14%. ¿Cuánta propina le da Nicolas a los transportistas? $_________

24) Mason almuerza en un restaurante y el costo de su comida es de $ 40. Mason quiere dejar una propina del 20%. ¿Cuál es la factura total de Mason, incluida la propina? $_________

Determine el interés simple para los siguientes préstamos.

25) $\$1{,}000\ at\ 5\%\ for\ 4\ years.$ $___

26) $\$400\ at\ 3\%\ for\ 5\ years.$ $___

27) $\$240\ at\ 4\%\ para\ 3\ years.$ $___

28) $500 at 4.5% para 6 years. $___

Resolver.

29) Un automóvil nuevo, valorado en $ 20,000, se deprecia al 8% por año. ¿Cuál es el valor del coche un año después de la compra? $_____________

30) Sara pone $7,000 en una inversión que rinde 3% anual de interés simple; dejó el dinero durante cinco años. ¿Cuánto interés recibe Sara al final de esos cinco años? $_____________

Capítulo 5: Respuestas

1) 9
2) 440
3) 26.4
4) 7.2
5) 45%
6) 20%
7) 5.6%
8) 20%
9) 25
10) 600
11) 300
12) 110
13) 40%
14) 12.5%
15) 20%
16) 20%
17) Álgebra
18) 12.5%
19) 360 Ml
20) $648.00
21) $495.00
22) $70.00
23) $48.00
24) $200.00
25) $60.00
26) $28.80
27) $135.00
28) $18.400
29) $1,050

CAPÍTUL

6 Exponentes y variables

Temas matemáticos que aprenderás en este capítulo:

- ☑ Propiedad de multiplicación de exponentes
- ☑ División (propiedad) de los exponentes
- ☑ Poderes de los productos y cocientes
- ☑ Exponentes cero y negativos
- ☑ Exponentes negativos y bases negativas
- ☑ Notación científica
- ☑ Radicales

Propiedad de multiplicación de exponentes

- Los exponentes son la abreviatura de la multiplicación repetida del mismo número por sí mismo. Por ejemplo, en lugar de, podemos escribir. Para, podemos escribir $2 \times 22^2 3 \times 3 \times 3 \times 33^4$
- En álgebra, una variable es una letra utilizada para representar un número. Las letras más comunes son: y.$x, y, z, a, b, c, m,\ n$
- Reglas del exponente: $x^a \times x^b = x^{a+b}$, $\frac{x^a}{x^b} = x^{a-b}$

$$(x^a)^b = x^{a \times b} \qquad (xy)^a = x^a \times y^a \qquad \left(\frac{a}{b}\right)^c = \frac{a^c}{b^c}$$

Ejemplos:

Example 1. Multiplicar. $2x^2 \times 3x^4$

Solución: Utilice las reglas de Exponente: $x^a \times x^b = x^{a+b} \rightarrow x^2 \times x^4 = x^{2+4} = x^6$
Entonces: $2x^2 \times 3x^4 = 6x^6$

Ejemplo 2. Simplificar. $(x^4y^2)^2$

Solución: Utilice las reglas de Exponente: $(x^a)^b = x^{a \times b}$
Entonces: $(x^4y^2)^2 = x^{4 \times 2}y^{2 \times 2} = x^8y^4$

Ejemplo 3. Multiplicar. $5x^8 \times 6x^5$

Solución: Utilice las reglas de Exponente: $x^a \times x^b = x^{a+b} \rightarrow x^8 \times x^5 = x^{8+5} = x^{13}$
Entonces: $5x^8 \times 6x^5 = 30x^{13}$

Ejemplo 4. Simplificar. $(x^4y^7)^3$

Solución: Utilice las reglas de Exponente: $(x^a)^b = x^{a \times b}$
Entonces: $(x^4y^7)^3 = x^{4 \times 3}y^{7 \times 3} = x^{12}y^{21}$

Division (propiedad) de los exponentes

Para la división de exponentes utilice las siguientes fórmulas:

- $\frac{x^a}{x^b} = x^{a-b}(x \neq 0)$
- $\frac{x^a}{x^b} = \frac{1}{x^{b-a}}, (x \neq 0)$
- $\frac{1}{x^b} = x^{-b}$

Ejemplos:

Example 1. Simplificar. $\frac{16x^3y}{2xy^2} =$

Solución: Primero, cancele el factor común: $2 \rightarrow \frac{16x^3y}{2xy^2} = \frac{8x^3y}{xy^2}$

Utilice las reglas de Exponente: $y\frac{x^a}{x^b} = x^{a-b} \rightarrow \frac{x^3}{x} = x^{3-1} = x^2$ $\frac{x^a}{x^b} = \frac{1}{x^{b-a}} \rightarrow \frac{y}{y^2} = \frac{1}{y^{2-1}} = \frac{1}{y}$

Entonces: $\frac{16x^3y}{2xy^2} = \frac{8x^2}{y}$

Example 2. Simplificar. $\frac{24x^8}{3x^6} =$

Solución: Utilice las reglas de Exponente: $\frac{x^a}{x^b} = x^{a-b} \rightarrow \frac{x^8}{x^6} = x^{8-6} = x^2$

Entonces: $\frac{24x^8}{3x^6} = 8x^2$

Example 3. Simplificar. $\frac{7x^4y^2}{28x^3y} =$

Solución: Primero, cancele el factor común: $7 \rightarrow \frac{x^4y^2}{4x^3y}$

Utilice las reglas de Exponente: y $\frac{x^a}{x^b} = x^{a-b} \rightarrow \frac{x^4}{x^3} = x^{4-3} = x \frac{y^2}{y} = y$

Entonces: $\frac{7x^4y^2}{28x^3y} = \frac{xy}{4}$

Poderes de los productos y cocientes

- Para cualquier número distinto de cero y cualquier entero,
- $abx(ab)^x = a^x \times b^x$

  y $\left(\frac{a}{b}\right)^c = \frac{a^c}{b^c}$

Ejemplos:

Ejemplo 1. Simplificar. $(3x^3y^2)^2$

Solución: Utilice las reglas de Exponente: $(x^a)^b = x^{a\times b}$

$(3x^3y^2)^2 = (3)^2(x^3)^2(y^2)^2 = 9x^{3\times2}y^{2\times2} = 9x^6y^4$

Ejemplo 2. Simplificar. $\left(\frac{2x^3}{3x^2}\right)^2$

Solución: Primero, cancele el factor común: $x \rightarrow \left(\frac{2x^3}{3x^2}\right) = \left(\frac{2x}{3}\right)^2$

Use las reglas de Exponente: Entonces: $\left(\frac{a}{b}\right)^c = \frac{a^c}{b^c}\left(\frac{2x}{3}\right)^2 = \frac{(2x)^2}{(3)^2} = \frac{4x^2}{9}$

Ejemplo 3. Simplificar. $(-4x^3y^5)^2$

Solución: Utilice las reglas de Exponente: $(x^a)^b = x^{a\times b}$

$$(-4x^3y^5)^2 = (-4)^2(x^3)^2(y^5)^2 = 16x^{3\times2}y^{5\times2} = 16x^6y^{10}$$

Ejemplo 4. Simplificar. $\left(\frac{5x}{4x^2}\right)^2$

Solución: Primero, cancele el factor común: $x \rightarrow \left(\frac{5x}{4x^2}\right)^2 = \left(\frac{5}{4x}\right)^2$

Utilice las reglas de Exponente: $\left(\frac{a}{b}\right)^c = \frac{a^c}{b^c}$Entonces: $\left(\frac{5}{4x}\right)^2 = \frac{5^2}{(4x)^2} = \frac{25}{16x^2}$

Más información en bit.ly/34CgPJ

Exponentes cero y negativos

- Regla de exponente cero: $\boldsymbol{a}^0 = 1$, esto significa que cualquier cosa elevada a la potencia cero es1. Por ejemplo: $(5xy)^0 = 1$(el número cero es una excepción: $\mathbf{0}^0 = 0$)
- Un exponente negativo simplemente significa que la base está en el lado equivocado de la línea de fracción, por lo que debe voltear la base hacia el otro lado. Por ejemplo, "x^{-2}" (pronunciado como "ecks al menos dos") solo significa "x^2" pero debajo, como en $\frac{1}{x^2}$.

Ejemplos:

Ejemplo 1. Evaluar. $\left(\frac{4}{5}\right)^{-2} =$

Solución: Use la regla del exponente negativo: $\left(\frac{x^a}{x^b}\right)^{-2} = \left(\frac{x^b}{x^a}\right)^2 \rightarrow \left(\frac{4}{5}\right)^{-2} = \left(\frac{5}{4}\right)^2$
Entonces: $\left(\frac{5}{4}\right)^2 = \frac{5^2}{4^2} = \frac{25}{16}$

Ejemplo 2. Evaluar. $\left(\frac{3}{2}\right)^{-3} =$

Solución: Use la regla del exponente negativo: $\left(\frac{x^a}{x^b}\right)^{-3} = \left(\frac{x^b}{x^a}\right)^3 \rightarrow \left(\frac{3}{2}\right)^{-3} = \left(\frac{2}{3}\right)^3 =$
Entonces: $\left(\frac{2}{3}\right)^3 = \frac{2^3}{3^3} = \frac{8}{27}$

Ejemplo 3. Evaluar. $\left(\frac{a}{b}\right)^0 =$

Solución: Use la regla de exponente cero: $\boldsymbol{a}^0 = 1$
Entonces: $\left(\frac{a}{b}\right)^0 = 1$

Ejemplo 4. Evaluar. $\left(\frac{4}{7}\right)^{-1} =$

Solución: Utilice la regla del exponente negativo: $\left(\frac{x^a}{x^b}\right)^{-1} = \left(\frac{x^b}{x^a}\right)^1 \rightarrow \left(\frac{4}{7}\right)^{-1} = \left(\frac{7}{4}\right)^1 = \frac{7}{4}$

Exponentes negativos y bases negativas

- Un exponente negativo es el recíproco de ese número con un exponente positivo. $(3)^{-2} = \frac{1}{3^2}$
- Para simplificar un exponente negativo, ¡haz que el poder sea positivo!
- ¡El paréntesis es importante! -5^{-2} no es lo mismo que $(-5)^{-2}$

$$-5^{-2} = -\frac{1}{5^2} \text{ y } (-5)^{-2} = +\frac{1}{5^2}$$

Ejemplos:

Ejemplo 1. Simplificar. $\left(\frac{2a}{3c}\right)^{-2} =$

Solución: Use la regla del exponente negativo: $\left(\frac{x^a}{x^b}\right)^{-2} = \left(\frac{x^b}{x^a}\right)^2 \rightarrow \left(\frac{2a}{3c}\right)^{-2} = \left(\frac{3c}{2a}\right)^2$

Ahora use la regla del exponente: $\left(\frac{a}{b}\right)^c = \frac{a^c}{b^c} \rightarrow = \left(\frac{3c}{2a}\right)^2 = \frac{3^2c^2}{2^2a^2}$

Entonces: $\frac{3^2c^2}{2^2a^2} = \frac{9c^2}{4a^2}$

Ejemplo 2. Simplificar. $\left(\frac{x}{4y}\right)^{-3} =$

Solución: Use la regla del exponente negativo: $\left(\frac{x^a}{x^b}\right)^{-3} = \left(\frac{x^b}{x^a}\right)^3 \rightarrow \left(\frac{x}{4y}\right)^{-3} = \left(\frac{4y}{x}\right)^3$

Ahora use la regla del exponente: $\left(\frac{a}{b}\right)^c = \frac{a^c}{b^c} \rightarrow \left(\frac{4y}{x}\right)^3 = \frac{4^3y^3}{x^3} = \frac{64y^3}{x^3}$

Ejemplo 3. Simplificar. $\left(\frac{5a}{2c}\right)^{-2} =$

Solución: Use la regla del exponente negativo: $\left(\frac{x^a}{x^b}\right)^{-2} = \left(\frac{x^b}{x^a}\right)^2 \rightarrow \left(\frac{5a}{2c}\right)^{-2} = \left(\frac{2c}{5a}\right)^2$

Ahora use la regla del exponente: $\left(\frac{a}{b}\right)^c = \frac{a^c}{b^c} \rightarrow = \left(\frac{2c}{5a}\right)^2 = \frac{2^2c^2}{5^2a^2}$

Entonces: $\frac{2^2c^2}{5^2a^2} = \frac{4c^2}{25a^2}$

Notación científica

- La notación científica se utiliza para escribir números muy grandes o muy pequeños en forma decimal.
- En notación científica, todos los números se escriben en forma de: donde es mayor que 1 y menor que 10. $m \times 10^n m$
- Para convertir un número de notación científica a forma estándar, mueva el punto decimal a la izquierda (si el exponente de diez es un número negativo) o a la derecha (si el exponente es positivo).

Ejemplos:

Ejemplo 1. Escribe en notación científica. 0.00024

Solución: Primero, mueva el punto decimal a la derecha para que tenga un número entre y. Ese número es. Ahora, determine cuántos lugares movió el decimal en paso por la potencia de. Movimos el punto decimal 4 dígitos a la derecha. Entonces: → Cuando el decimal se movió hacia la derecha, el exponente es negativo. Entonces: $1102.411010^{-4}0.00024 = 2.4 \times 10^{-4}$

Ejemplo 2. Escribir en notación estándar. 3.8×10^{-5}

Solución: El exponente es negativo 5. Luego, mueva el punto decimal a los cinco dígitos de la izquierda. (recuerda) Cuando el decimal se mueve hacia la derecha, el exponente es negativo. Entonces: $3.8 = 0000003.83.8 \times 10^{-5} = 0.000038$

Ejemplo 3. Escribe en notación científica. 0.00031

Solución: Primero, mueva el punto decimal a la derecha para que tenga un número entre 1 y 10. Entonces:, Ahora, determine cuántos lugares movió el decimal en el paso 1 por la potencia de 10. → Entonces: $m = 3.110^{-4}0.00031 = 3.1 \times 10^{-4}$

Ejemplo 4. Escribir en notación estándar. 6.2×10^5

Solución: 10^5 → El exponente es positivo 5. Luego, mueva el punto decimal a los cinco dígitos de la derecha. (recordar $6.2 = 6.20000$) Entonces: $6.2 \times 10^5 = 620{,}000$

Más información en bit.ly/3nOwJYP

Radicales

- Si es un entero positivo y es un número real, entonces: $,nx\sqrt[n]{x} = x^{\frac{1}{n}}$

$$\sqrt[n]{xy} = x^{\frac{1}{n}} \times y^{\frac{1}{n}}y \sqrt[n]{\frac{x}{y}} = \frac{x^{\frac{1}{n}}}{y^{\frac{1}{n}}} \sqrt[n]{x} \times \sqrt[n]{y} = \sqrt[n]{xy}$$

- Una raíz cuadrada de es un número cuyo cuadrado es: (es una raíz cuadrada de $)xrr^2 = xrx$

- Para sumar y restar radicales, necesitamos tener los mismos valores bajo el radical. Por ejemplo: $\sqrt{3} + \sqrt{3} = 2\sqrt{3}3\sqrt{5} - \sqrt{5} = 2\sqrt{5}$

Ejemplos:

Ejemplo 1. Encuentra la raíz cuadrada de . $\sqrt{121}$

Solución: Primero, factorice el número: , Luego: , $121 = 11^2\sqrt{121} = \sqrt{11^2}$
Ahora use la regla radical: . Entonces: $\sqrt[n]{a^n} = a\sqrt{121} = \sqrt{11^2} = 11$

Ejemplo 2. Evaluar. $\sqrt{4} \times \sqrt{16} =$

Solución: Encuentre los valores de y. Entonces: $\sqrt{4}\sqrt{16}\sqrt{4} \times \sqrt{16} = 2 \times 4 = 8$

Ejemplo 3. Resolver. . $5\sqrt{2} + 9\sqrt{2}$

Solución: Dado que tenemos los mismos valores bajo el radical, podemos agregar estos dos radicales: $5\sqrt{2} + 9\sqrt{2} = 14\sqrt{2}$

Ejemplo 4. Evaluar. $\sqrt{2} \times \sqrt{50} =$

Solución: Use esta regla radical: $\sqrt[n]{x} \times \sqrt[n]{y} = \sqrt[n]{xy} \rightarrow \sqrt{2} \times \sqrt{50} = \sqrt{100}$
La raíz cuadrada de 100 es 10. Entonces: $\sqrt{2} \times \sqrt{50} = \sqrt{100} = 10$

Capítulo 6: Prácticas

Encuentra los productos.

1) $x^2 \times 4xy^2 =$

2) $3x^2y \times 5x^3y^2 =$

3) $6x^4y^2 \times x^2y^3 =$

4) $7xy^3 \times 2x^2y =$

5) $-5x^5y^5 \times x^3y^2 =$

6) $-8x^3y^2 \times 3x^3y^2 =$

7) $-6x^2y^6 \times 5x^4y^2 =$

8) $-3x^3y^3 \times 2x^3y^2 =$

9) $-6x^5y^3 \times 4x^4y^3 =$

10) $-2x^4y^3 \times 5x^6y^2 =$

11) $-7y^6 \times 3x^6y^3 =$

12) $-9x^4 \times 2x^4y^2 =$

Simplificar.

13) $\frac{5^3 \times 5^4}{5^9 \times 5} =$

14) $\frac{3^3 \times 3^2}{7^2 \times 7} =$

15) $\frac{15x^5}{5x^3} =$

16) $\frac{16x^3}{4x^5} =$

17) $\frac{72y^2}{8x^3y^6} =$

18) $\frac{10x^3y^4}{50x^2y^3} =$

19) $\frac{13y^2}{52x^4y^4} =$

20) $\frac{50xy^3}{200x^3y^4} =$

21) $\frac{48x^2}{56x^2y^2} =$

22) $\frac{81y^6x}{54x^4y^3} =$

Resolver.

23) $(x^3y^3)^2 =$

24) $(3x^3y^4)^3 =$

25) $(4x \times 6xy^3)^2 =$

26) $(5x \times 2y^3)^3 =$

27) $\left(\frac{9x}{x^3}\right)^2 =$

28) $(\frac{3y}{18y^2})^2 =$

29) $\left(\frac{3x^2y^3}{24x^4y^2}\right)^3 =$

30) $\left(\frac{26x^5y^3}{52x^3y^5}\right)^2 =$

31) $\left(\frac{18x^7y^4}{72x^5y^2}\right)^2 =$

32) $\left(\frac{12x^6y^4}{48x^5y^3}\right) =$

Evalúa cada expresión. (Exponentes cero y negativos)

33) $(\frac{1}{4})^{-2} =$

34) $(\frac{1}{3})^{-2} =$

35) $(\frac{1}{7})^{-3} =$

36) $(\frac{2}{5})^{-3} =$

37) $(\frac{2}{3})^{-3} =$

38) $(\frac{3}{5})^{-4} =$

Escribe cada expresión con exponentes positivos.

39) $x^{-7} =$

40) $3y^{-5} =$

41) $15y^{-3} =$

42) $-20x^{-4} =$

43) $12a^{-3}b^{5} =$

44) $25a^{3}b^{-4}c^{-3} =$

45) $-4x^{5}y^{-3}z^{-6} =$

46) $\frac{18y}{x^{3}y^{-2}} =$

47) $\frac{20a^{-2}b}{-12c^{-4}}$

Escribe cada número en notación científica.

48) $0.00412 =$

49) $0.000053 =$

50) $66{,}000 =$

51) $72{,}000{,}000 =$

Evaluar.

52) $\sqrt{8} \times \sqrt{8} =$ -------------

53) $\sqrt{36} - \sqrt{9} =$..................

54) $\sqrt{81} + \sqrt{16} =$..................

55) $\sqrt{2} \times \sqrt{25} =$..................

56) $\sqrt{2} \times \sqrt{32} =$..................

57) $4\sqrt{3} + 5\sqrt{3} =$..................

Capítulo 6: Respuestas

1) $4x^3y^2$
2) $15x^5y^3$
3) $6x^6y^5$
4) $14x^3y^4$
5) $-5x^8y^7$
6) $-24x^6y^4$
7) $-30x^6y^8$
8) $-6x^6y^5$
9) $-24x^9y^6$
10) $-10x^{10}y^5$
11) $-21x^6y^9$
12) $-18x^8y^2$
13) $\frac{1}{125}$
14) $\frac{243}{343}$
15) $3x^2$
16) $\frac{4}{x^2}$
17) $\frac{9}{x^3y^4}$
18) $\frac{xy}{5}$
19) $\frac{1}{4x^4y^2}$
20) $\frac{1}{4x^2y}$
21) $\frac{6}{7y^2}$
22) $\frac{3y^3}{2x^3}$
23) x^6y^6
24) $27x^9y^{12}$
25) $576x^4y^6$
26) $1{,}000x^3y^9$
27) $\frac{81}{x^4}$
28) $\frac{1}{36y^2}$
29) $\frac{y^3}{512x^6}$
30) $\frac{x^4}{4y^4}$
31) $\frac{x^4y^4}{16}$
32) $\frac{x^2y^2}{16}$
33) 16
34) 9
35) 343
36) $\frac{125}{8}$
37) $\frac{27}{8}$
38) $\frac{625}{81}$
39) $\frac{1}{x^7}$
40) $\frac{3}{y^5}$
41) $\frac{15}{y^3}$
42) $-\frac{20}{x^4}$
43) $\frac{12b^5}{a^3}$
44) $\frac{25a^3}{b^4c^3}$
45) $-\frac{4x^5}{y^3z^6}$
46) $\frac{18y^3}{x^3}$
47) $-\frac{5bc^4}{3a^2}$
48) 4.12×10^{-3}
49) 5.3×10^{-5}
50) 6.6×10^4
51) 7.2×10^7
52) 8
53) 3
54) 13
55) 10
56) 8
57) $9\sqrt{3}$

CAPÍTULO

7 Expresiones y variables

Temas matemáticos que aprenderás en este capítulo:

- ☑ Simplificación de expresiones de variables
- ☑ Simplificación de expresiones polinómicas
- ☑ La propiedad distributiva
- ☑ Evaluación de una variable
- ☑ Evaluación de dos variables

Simplificación de expresiones de variables

- En álgebra, una variable es una letra utilizada para representar un número. Las letras más comunes son.$x, y, z, a, b, c, m, and\ n$
- Una expresión algebraica es una expresión que contiene enteros, variables y operaciones matemáticas como suma, resta, multiplicación, división, etc.
- En una expresión, podemos combinar términos "similares". (valores con la misma variable y potencia)

Ejemplos:

Example 1. Simplificar. $(4x + 2x + 4) =$

Solución: En esta expresión, hay tres términos: y. Dos términos son "términos similares": y. Combina términos similares. Entonces: $(4x,\ 2x, 44x2x4x + 2x = 6x(4x + 2x + 4) = 6x + 4$***recuerde que no puede combinar variables y números.***)

Example 2. Simplificar. $-2x^2 - 5x + 4x^2 - 9 =$

Solución: Combine términos "me gusta": $-2x^2 + 4x^2 = 2x^2$
Entonces: $-2x^2 - 5x + 4x^2 - 9 = 2x^2 - 5x - 9$.

Example 3. Simplificar. $(-8 + 6x^2 + 3x^2 + 9x) =$

Solución: Combine términos similares. Entonces:
$(-8 + 6x^2 + 3x^2 + 9x) = 9x^2 + 9x - 8$

Example 4. Simplificar. $-10x + 6x^2 - 3x + 9x^2 =$

Solución: Combine términos "me gusta": y $-10x - 3x = -13x, 6x^2 + 9x^2 = 15x^2$
Entonces: $-10x + 6x^2 - 3x + 9x^2 = -13x + 15x^2$. Escribe en forma estándar (primero las mayores potencias): $-13x + 15x^2 = 15x^2 - 13x$

Simplificación de expresiones polinómicas

- En matemáticas, un polinomio es una expresión que consiste en variables y coeficientes que involucra solo las operaciones de suma, resta, multiplicación y exponentes enteros no negativos de variables.

$$P(x) = a_n x^n + a_{n-1}x^{n-1} + \ldots + a_2 x^2 + a_1 x + a_0$$

- Los polinomios siempre deben simplificarse tanto como sea posible. Significa que debes sumar cualquier término similar. (valores con la misma variable y la misma potencia)

Ejemplos:

Eejemplo 1. Simplifique estas expresiones polinómicas. $3x^2 - 6x^3 - 2x^3 + 4x^4$

Solución: Combine términos "me gusta": $-6x^3 - 2x^3 = -8x^3$
Entonces: $3x^2 - 6x^3 - 2x^3 + 4x^4 = 3x^2 - 8x^3 + 4x^4$
Ahora, escriba la expresión en forma estándar: $3x^2 - 8x^3 + 4x^4 = 4x^4 - 8x^3 + 3x^2$

Eejemplo 2. Simplifique esta expresión. $(-5x^2 + 2x^3) - (3x^3 - 6x^2) =$

Solución: Primero, multiplique en $(-)(3x^3 - 6x^2)$:
$(-5x^2 + 2x^3) - (3x^3 - 6x^2) = -5x^2 + 2x^3 - 3x^3 + 6x^2$
A continuación, combine los términos "me gusta": $-5x^2 + 2x^3 - 3x^3 + 6x^2 = x^2 - x^3$
Y escriba en forma estándar: $x^2 - x^3 = -x^3 + x^2$

Eejemplo 3. Simplificar. $3x^3 - 9x^4 - 8x^2 + 12x^4 =$

Solución: Combine términos "me gusta":$-9x^4 + 12x^4 = 3x^4$
Entonces: $3x^3 - 9x^4 - 8x^2 + 12x^4 = 3x^3 + 3x^4 - 8x^2$
Y escriba en forma estándar: $3x^3 + 3x^4 - 8x^2 = 3x^4 + 3x^3 - 8x^2$

La propiedad distributiva

- La propiedad distributiva (o la propiedad distributiva de la multiplicación sobre la suma y la resta) simplifica y resuelve expresiones en forma de: o $a(b + c)a(b - c)$
- La propiedad distributiva es multiplicar un término fuera de los paréntesis por los términos dentro.
- Regla de propiedad distributiva: $a(b + c) = ab + ac$

Ejemplos:

Eejemplo 1. Simplemente usando la propiedad distributiva. $(-2)(x + 3)$

Solución: Use la regla de propiedad distributiva: $a(b + c) = ab + ac$

$$(-2)(x + 3) = (-2 \times x) + (-2) \times (3) = -2x - 6$$

Eejemplo 2. Simplemente. $(-5)(-2x - 6)$

Solución: Use la regla de propiedad distributiva: $a(b + c) = ab + ac$

$$(-5)(-2x - 6) = (-5 \times -2x) + (-5) \times (-6) = 10x + 30$$

Eejemplo 3. Simplemente. $(7)(2x - 8) - 12x$

Solución: Primero, simplifique usando $(7)(2x - 8)$la propiedad distributiva.

Entonces: $(7)(2x - 8) = 14x - 56$

Ahora combine términos similares: $(7)(2x - 8) - 12x = 14x - 56 - 12x$

En esta expresión, ya son "términos similares" y podemos combinarlos. $14x - 12x$

$14x - 12x = 2x$. Entonces: $14x - 56 - 12x = 2x - 56$

Más información en bit.ly/38qCaXs

Evaluación de una variable

- Para evaluar las expresiones de una variable, busque la variable y sustituya esa variable por un número.
- Realizar las operaciones aritméticas.

Ejemplos:

Eejemplo 1. Calcular esta expresión para.$x = 2 \quad 8 + 2x$

Solución: Primero, sustituya por $2x$.
Entonces: $8 + 2x = 8 + 2(2)$
Ahora, use el orden de operación para encontrar la respuesta: $8 + 2(2) = 8 + 4 = 12$

Eejemplo 2. Evalúe esta expresión para.$x = -1 \quad 4x - 8$

Solución: Primero, sustituya por $-1x$.
Entonces: $4x - 8 = 4(-1) - 8$
Ahora, use el orden de operación para encontrar la respuesta: $4(-1) - 8 = -4 - 8 = -12$

Eejemplo 3. Busque el valor de esta expresión cuando. $x = 4 \quad (16 - 5x)$

Solución: En primer lugar, sustituya a, $4x$
Entonces: $16 - 5x = 16 - 5(4) = 16 - 20 = -4$

Eejemplo 4. Resuelva esta expresión para.$x = -3 \qquad 15 + 7x$

Solución: Sustituya a $-3x$.
Tgallina: $15 + 7x = 15 + 7(-3) = 15 - 21 = -6$

Evaluación de dos variables

- Para evaluar una expresión algebraica, sustituya un número por cada variable.
- Realice las operaciones aritméticas para encontrar el valor de la expresión.

Ejemplos:

Eejemplo 1. Calcule esta expresión para y. $a = 2b = -1(4a - 3b)$

Solución: En primer lugar, sustituya por, y por $2a - 1b$.
Entonces: $4a - 3b = 4(2) - 3(-1)$
Ahora, use el orden de operación para encontrar la respuesta: $4(2) - 3(-1) = 8 + 3 = 11$

Eejemplo 2. Evalúe esta expresión para y. $x = -2y = 2(3x + 6y)$

Solución: Sustituir por, y por $-2x2\ y$.
Entonces: $3x + 6y = 3(-2) + 6(2) = -6 + 12 = 6$

Eejemplo 3. Encuentre el valor de esta expresión $2(6a - 5b)$, cuándo y. $a = -1b = 4$

Solución: Sustituir por, y por $-1a4b$.
Entonces: $2(6a - 5b) = 2\big(6(-1) - 5(4)\big) = 2(-6 - 20) = 2(-26) = -52$

Eejemplo 4. Evalúe esta expresión. $-7x - 2y,\ x = 4,\ y = -3$

Solución: Sustituir por, y para y simplificar. $4x - 3y$
Entonces: $-7x - 2y = -7(4) - 2(-3) = -28 + 6 = -22$

Capítulo 7: Prácticas

Simplifica cada expresión.

1) $(3 + 4x - 1) =$

2) $(-5 - 2x + 7) =$

3) $(12x - 5x - 4) =$

4) $(-16x + 24x - 9) =$

5) $(6x + 5 - 15x) =$

6) $2 + 5x - 8x - 6 =$

7) $5x + 10 - 3x - 22 =$

8) $-5 - 3x^2 - 6 + 4x =$

9) $-6 + 9x^2 - 3 + x =$

10) $5x^2 + 3x - 10x - 3 =$

11) $4x^2 - 2x - 6x + 5 - 8 =$

12) $3x^2 - 5x - 7x + 2 - 4 =$

13) $9x^2 - x - 5x + 3 - 9 =$

14) $2x^2 - 7x - 3x^2 + 4x + 6 =$

Simplifica cada polinomio.

15) $5x^2 + 3x^3 - 9x^2 + 2x =$ --

16) $8x^4 + 2x^5 - 7x^4 + 3x^2 =$ --

17) $15x^3 + 11x - 5x^2 - 9x^3 =$ ....

18) $(7x^3 - 3x^2) + (5x^2 - 13x) =$ ....

19) $(12x^4 + 6x^3) + (x^3 - 5x^4) =$ ....

20) $(15x^5 - 8x^3) - (4x^3 + x^2) =$ ....

21) $(14x^4 + 7x^3) - (x^3 - 24) =$ ....

22) $(20x^4 + 6x^3) - (-x^3 - 2x^4) =$ ....

23) $(x^2 + 9x^3) + (-22x^2 + 6x^3) =$ ....

24) $(4x^4 - 2x^3) + (-5x^3 - 8x^4) =$ ....

Utilice la propiedad distributiva para simplemente cada expresión.

25) $2(6 + x) =$ ________

26) $5(3 - 2x) =$ ________

27) $7(1 - 5x) =$ ________

28) $(3 - 4x)7 =$ ________

29) $6(2 - 3x) =$ ________

30) $(-1)(-9 + x) =$ ________

31) $(-6)(3x - 2) =$ ________

32) $(-x + 12)(-4) =$ ________

33) $(-2)(1 - 6x) =$ ________

34) $(-5x - 3)(-8) =$ ________

Evalúe cada expresión utilizando el valor dado.

35) $x = 4 \rightarrow 10 - x =$ ____

36) $x = 6 \rightarrow x + 8 =$ ____

37) $x = 3 \rightarrow 2x - 6 =$ ____

38) $x = 2 \rightarrow 10 - 4x =$ _

39) $x = 7 \rightarrow 8x - 3 =$ ____

40) $x = 9 \rightarrow 20 - 2x$____

41) $x = 5 \rightarrow 10x - 30 =$ _

42) $x = -6 \rightarrow 5 - x =$ ____

43) $x = -3 \rightarrow 22 - 3x =$ ____

44) $x = -7 \rightarrow 10 - 9x =$

45) $x = -10 \rightarrow 40 - 3x =$ __

46) $x = -2 \rightarrow 20x - 5 =$

47) $x = -5 \rightarrow -10x - 8 =$ _

48) $x = -4 \rightarrow -1 - 4x =$ ___

Evalúe cada expresión utilizando los valores dados.

49) $x = 2, y = 1 \rightarrow 2x + 7y =$ ______

50) $a = 3, b = 5 \rightarrow 3a - 5b =$ ______

51) $x = 6, y = 2 \rightarrow 3x - 2y + 8 =$ ______

52) $a = -2, b = 3 \rightarrow -5a + 2b + 6 =$ ______

53) $x = -4, y = -3 \rightarrow -4x + 10 - 8y =$ ______

Capítulo 7: Respuestas

1) $4x + 2$
2) $-2x + 2$
3) $7x - 4$
4) $8x - 9$
5) $-9x + 5$
6) $-3x - 4$
7) $2x - 12$
8) $-3x^2 + 4x - 11$
9) $9x^2 + x - 9$
10) $5x^2 - 7x - 3$
11) $4x^2 - 8x - 3$
12) $3x^2 - 12x - 2$
13) $9x^2 - 6x - 6$
14) $-x^2 - 3x + 6$
15) $3x^3 - 4x^2 + 2x$
16) $2x^5 + x^4 + 3x^2$
17) $6x^3 - 5x^2 + 11x$
18) $7x^3 + 2x^2 - 13x$
19) $7x^4 + 7x^3$
20) $15x^5 - 12x^3 - x^2$
21) $14x^4 + 6x^3 + 24$
22) $22x^4 + 7x^3$
23) $15x^3 - 21x^2$
24) $-4x^4 - 7x^3$
25) $2x + 12$
26) $-10x + 15$
27) $-35x + 7$
28) $-28x + 21$
29) $-18x + 12$
30) $-x + 9$
31) $-18x + 12$
32) $4x - 48$
33) $12x - 2$
34) $40x + 24$
35) 6
36) 14
37) 0
38) 2
39) 53
40) 2
41) 20
42) 11
43) 31
44) 73
45) 70
46) -45
47) 42
48) 15
49) 11
50) -16
51) 22
52) 22
53) 50

CAPÍTUL

8 Ecuaciones y desigualdades

Temas matemáticos que aprenderás en este capítulo:

☑ Ecuaciones de un solo paso

☑ Ecuaciones de varios pasos

☑ Sistema de ecuaciones

☑ Graficación de desigualdades de una sola variable

☑ Desigualdades de un solo paso

☑ Desigualdades en varios pasos

Ecuaciones de un solo paso

- Los valores de dos expresiones en ambos lados de una ecuación son iguales. Ejemplo: En esta ecuación, es igual a.$ax = baxb$
- Resolver una ecuación significa encontrar el valor de la variable.
- Solo necesita realizar una operación matemática para resolver las ecuaciones de un solo paso.
- Para resolver una ecuación de un solo paso, encuentre que se está realizando la operación inversa (opuesta).
- Las operaciones inversas son:
  - ❖ Suma y resta
  - ❖ Multiplicación y división

Ejemplos:

Example 1. Resuelve esta ecuación para. $x4x = 16 \rightarrow x = ?$

Solución: Aquí, la operación es multiplicación (la variable se multiplica por) y su operación inversa es la división. Para resolver esta ecuación, divida ambos lados de la ecuación por$x44$: $4x = 16 \rightarrow \frac{4x}{4} = \frac{16}{4} \rightarrow x = 4$

Eejemplo 1. Resuelve esta ecuación. $x + 8 = 0 \rightarrow x = ?$

Solución: En esta ecuación, se suma 8 a la variable. La operación inversa de suma es la resta. Para resolver esta ecuación, reste de ambos lados de la $x8$ecuación: $x + 8 - 8 = 0 - 8$. Entonces: $x + 8 - 8 = 0 - 8 \rightarrow x = -8$

Eejemplo 3. Resuelve esta ecuación para. $xx - 12 = 0$

Solución: Aquí, la operación es sustracción y su funcionamiento inverso es la suma. Para resolver esta ecuación, agregue 12 a ambos lados de la ecuación:

$$x - 12 + 12 = 0 + 12 \rightarrow x = 12$$

Más información en bit.ly/37JqOtK

Ecuaciones de varios pasos

- Para resolver una ecuación de varios pasos, combine términos "similares" en un lado.
- Lleve las variables a un lado sumando o restando.
- Simplifique utilizando el inverso de suma o resta.
- Simplifique aún más utilizando el inverso de multiplicación o división.
- Compruebe su solución conectando el valor de la variable en la ecuación original.

Ejemplos:

Eejemplo 1. Resuelve esta ecuación para. $x 4x + 8 = 20 - 2x$

Solución: Primero, lleve las variables a un lado agregando a ambos lados. Entonces: $2x$

$4x + 8 + 2x = 20 - 2x + 2x \rightarrow 4x + 8 + 2x = 20.$

Simplificar: $6x + 8 = 20$. Ahora, reste de ambos lados de la ecuación:8

$6x + 8 - 8 = 20 - 8 \rightarrow 6x = 12 \rightarrow$Divida ambos lados por: 6

$6x = 12 \rightarrow \frac{6x}{6} = \frac{12}{6} \rightarrow x = 2$

Comprobemos esta solución sustituyendo el valor de 2 por en la ecuación original:x

$x = 2 \rightarrow 4x + 8 = 20 - 2x \rightarrow 4(2) + 8 = 20 - 2(2) \rightarrow 16 = 16$

La respuesta es correcta. $x = 2$

Eejemplo 2. Resuelve esta ecuación para. $x - 5x + 4 = 24$

Solución: Reste de ambos lados de la ecuación.4

$$-5x + 4 = 24 \rightarrow -5x + 4 - 4 = 24 - 4 \rightarrow -5x = 20$$

Divida ambos lados por, entonces:-5 $-5x = 20 \rightarrow \frac{-5x}{-5} = \frac{20}{-5} \rightarrow x = -4$

Ahora, verifique la solución:

$x = -4 \rightarrow -5x + 4 = 24 \rightarrow -5(-4) + 4 = 24 \rightarrow 24 = 24$

La respuesta $x = -4$ es correcto.

Más información en bit.ly/3nQbSEB

Sistema de ecuaciones

- Un sistema de ecuaciones contiene dos ecuaciones y dos variables. Por ejemplo, considere el sistema de ecuaciones: $x - y = 1$ y $x + y = 5$
- La forma más fácil de resolver un sistema de ecuaciones es utilizando el método de eliminación. El método de eliminación utiliza la propiedad de adición de igualdad. Puede agregar el mismo valor a cada lado de una ecuación.
- Para la primera ecuación anterior, puede agregar al lado izquierdo y 5 al lado derecho de la primera ecuación: . Ahora, si simplificas, obtienes: . Ahora, sustituya 3 por el en la primera ecuación: . Al resolver esta ecuación, $x + yx - y + (x + y) = 1 + 5x - y + (x + y) = 1 + 5 \rightarrow 2x = 6 \rightarrow x = 3x3 - y = 1y = 2$

Ejemplo:

¿Cuál es el valor de este sistema de ecuaciones?$x + y$

$$\begin{cases} 2x + 4y = 12 \\ 4x - 2y = -16 \end{cases}$$

Solución: Resolver un sistema de ecuaciones por eliminación:
Multiplica la primera ecuación y luego agrégala a la segunda ecuación.(-2),

$$\frac{\begin{matrix} -2(2x + 4y = 12) \\ 4x - 2y = -16 \end{matrix}}{} \Rightarrow \begin{matrix} -4x - 8y = -24 \\ 4x - 2y = -16 \end{matrix} \Rightarrow (-4x) + 4x - 8y - 2y = -24 - 16 \Rightarrow -10y = -40 \Rightarrow y = 4$$

Conecte el valor de en $y$una de las ecuaciones y resuelva para.x
$2x + 4(4) = 12 \Rightarrow 2x + 16 = 12 \Rightarrow 2x = -4 \Rightarrow x = -2$
Así $x + y = -2 + 4 = 2$

Graficar desigualdades de una sola variable

- Una desigualdad compara dos expresiones usando un signo de desigualdad.
- Los signos de desigualdad son: "menor que", "mayor que", "menor o igual que" y "mayor que o igual a".<>≤≥
- Para graficar una desigualdad de una sola variable, encuentre el valor de la desigualdad en la recta numérica.
- Para menor que () o mayor que () dibuje <>un círculo abierto en el valor de la variable. Si también hay un signo igual, use un círculo lleno.
- Dibuja una flecha a la derecha para mayor o a la izquierda para menos que.

Ejemplos:

Example 1. Dibuja un gráfico para esta desigualdad. $x > 2$

Solución: Dado que la variable es mayor que 2, entonces necesitamos encontrar 2 en la recta numérica y dibujar un círculo abierto en ella. Luego, dibuja una flecha a la derecha.

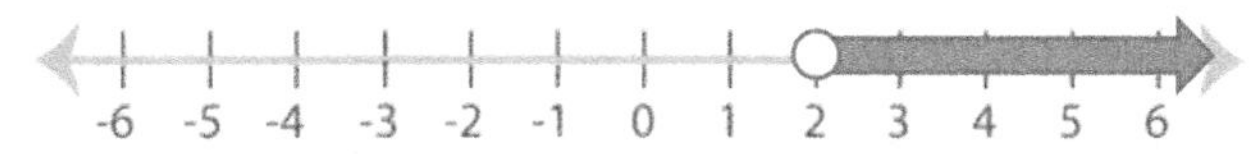

Example 2. Grafica esta desigualdad. $x \leq -3$.

Solución: Desde La variable es menor o igual que -3entonces necesitamos encontrar -3 en la línea numérica y dibuja un círculo lleno en ella. Luego, dibuja una flecha a la izquierda.

Desigualdades en un solo paso

- Una desigualdad compara dos expresiones usando un signo de desigualdad.
- Los signos de desigualdad son: "menor que", "mayor que", "menor o igual que" y "mayor que o igual a".$<>\leq\geq$
- Solo necesita realizar una operación matemática para resolver las desigualdades de un solo paso.
- Para resolver las desigualdades de un solo paso, encuentre que se está realizando la operación inversa (opuesta).
- Para dividir o multiplicar ambos lados por números negativos, cambie la dirección del signo de desigualdad.

Ejemplos:

Eejemplo 1. Resuelve esta desigualdad para. $xx + 5 \geq 4$

Solución: La operación inversa (opuesta) de la suma es la resta. En esta desigualdad, 5 se suma a x. Para aislar x necesitamos desviarnos de ambos lados de la desigualdad. 5
Entonces: La solución es: $x + 5 \geq 4 \rightarrow x + 5 - 5 \geq 4 - 5 \rightarrow x \geq -1x \geq -1$

Eejemplo 2. Resolver la desigualdad. $x - 3 > -6$

Solución: se resta de. Añadir a ambos lados. $3x3$
$x - 3 > -6 \rightarrow x - 3 + 3 > -6 + 3 \rightarrow x > -3$

Eejemplo 3. Resolver. $4x \leq -8$

Solución: se multiplica a . Divida ambos lados por. $4x4$
Entonces: $4x \leq -8 \rightarrow \frac{4x}{4} \leq \frac{-8}{4} \rightarrow x \leq -2$

Eejemplo 4. Resolver. $-3x \leq 6$

Solución: se multiplica a. Divida ambos lados por. Recuerde que al dividir o multiplicar ambos lados de una desigualdad por números negativos, cambie la dirección del signo de desigualdad. $-3x - 3$
Entonces: $-3x \leq 6 \rightarrow \frac{-3x}{-3} \geq \frac{6}{-3} \rightarrow x \geq -2$

Desigualdades de varios pasos

- Para resolver una desigualdad de varios pasos, combine términos "similares" en un lado.
- Lleve las variables a un lado sumando o restando.
- Aislar la variable.
- Simplifique utilizando el inverso de suma o resta.
- Simplifique aún más utilizando el inverso de multiplicación o división.
- Para dividir o multiplicar ambos lados por números negativos, cambie la dirección del signo de desigualdad.

Ejemplos:

Eejemplo 1. Resuelve esta desigualdad. $8x - 2 \leq 14$

Solución: En esta desigualdad, se resta de. El inverso de la resta es la suma. Agregue a ambos lados de la desigualdad:$28x2$

$$8x - 2 + 2 \leq 14 + 2 \rightarrow 8x \leq 16$$

Ahora, divida ambos lados por. Entonces: $88x \leq 16 \rightarrow \frac{8x}{8} \leq \frac{16}{8} \rightarrow x \leq 2$

La solución de esta desigualdad es.$x \leq 2$

Eejemplo 2. Resuelve esta desigualdad. $3x + 9 < 12$

Solución: Primero, reste de ambos lados: $93x + 9 - 9 < 12 - 9$

A continuación, simplifique: $3x + 9 - 9 < 12 - 9 \rightarrow 3x < 3$

Ahora divida ambos lados por: $3\frac{3x}{3} < \frac{3}{3} \rightarrow x < 1$

Example 3. Resuelve esta desigualdad. $-5x + 3 \geq 8$

Solución: Primero, reste de ambos lados:3

$$-5x + 3 - 3 \geq 8 - 3 \rightarrow -5x \geq 5$$

Divide ambos lados por -5. Recuerda que necesitas voltee la dirección del signo de desigualdad. $-5x \geq 5 \rightarrow \frac{-5x}{-5} \leq \frac{5}{-5} \rightarrow x \leq -1$

Más información en bit.ly/2WK1xOr

Capítulo 8: Prácticas

Resuelve cada ecuación. (Ecuaciones de un solo paso)

1) $x + 6 = 3 \rightarrow x =$ ____
2) $5 = 11 - x \rightarrow x =$ ____
3) $-3 = 8 + x \rightarrow x =$ ____
4) $x - 2 = -7 \rightarrow x =$ ____
5) $-15 = x + 6 \rightarrow x =$ ____
6) $10 - x = -2 \rightarrow x =$ ____
7) $22 - x = -9 \rightarrow x =$ ____
8) $-4 + x = 28 \rightarrow x =$ ____
9) $11 - x = -7 \rightarrow x =$ ____
10) $35 - x = -7 \rightarrow x =$ ____

Resuelve cada ecuación. (Ecuaciones de varios pasos)

11) $4(x + 2) = 12 \rightarrow x =$ ____
12) $-6(6 - x) = 12 \rightarrow x =$ ____
13) $5 = -5\,(x + 2) \rightarrow x =$ ____
14) $-10 = 2(4 + x) \rightarrow x =$ ____
15) $4(x + 2) = -12,\ x =$ ____
16) $-6(3 + 2x) = 30,\ x =$ ____
17) $-3(4 - x) = 12,\ x =$ ____
18) $-4(6 - x) = 16,\ x =$ ____

Resuelve cada sistema de ecuaciones.

19) $\begin{cases} x + 6y = 32 \\ x + 3y = 17 \end{cases}$ $x =$ ____ $y =$ ____

20) $\begin{cases} 3x + y = 15 \\ x + 2y = 10 \end{cases}$ $x =$ ____ $y =$ ____

21) $\begin{cases} 3x + 5y = 17 \\ 2x + y = 9 \end{cases}$ $x =$ ____ $y =$ ____

22) $\begin{cases} 5x - 2y = -8 \\ -6x + 2y = 10 \end{cases}$ $x =$ ____ $y =$ ____

Dibuja un gráfico para cada desigualdad.

23) $x \leq -3$

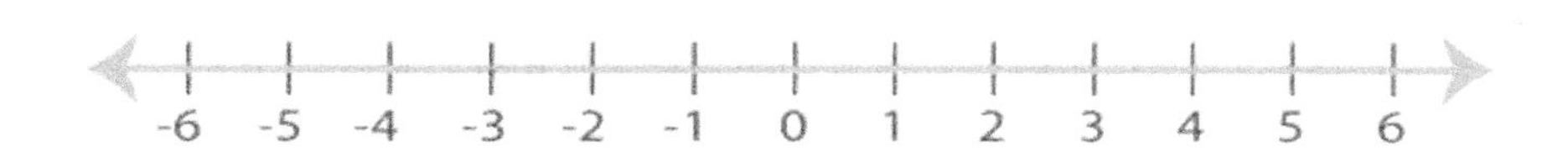

24) $x > -5$

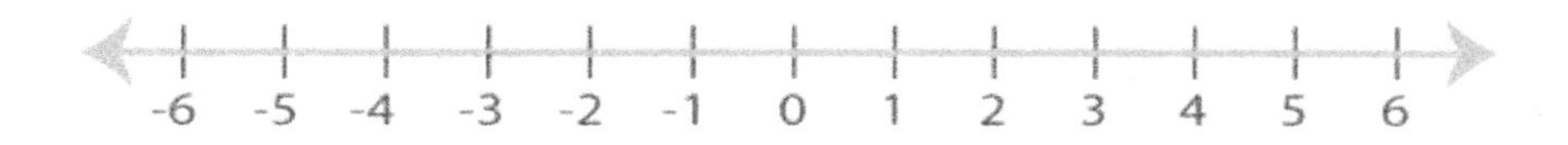

Resuelve cada desigualdad y grafícala.

25) $x - 2 \geq -2$

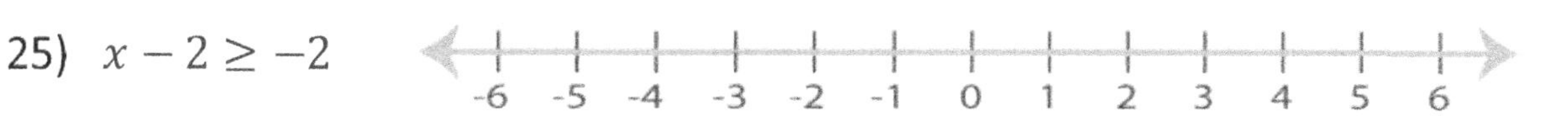

26) $2x - 3 < 9$

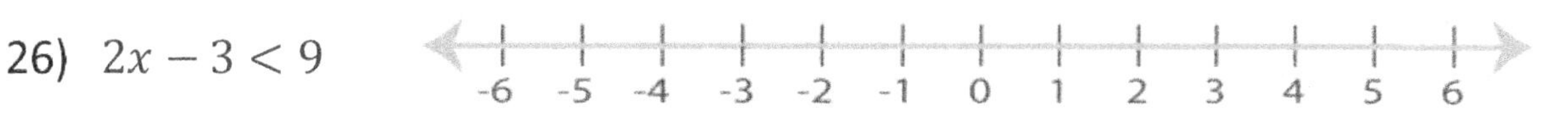

Resuelve cada desigualdad.

27) $x + 13 > 4$

28) $x + 6 > 5$

29) $-12 + 2x \leq 26$

30) $-2 + 8x \leq 14$

31) $6 + 4x \leq 18$

32) $4(x + 3) \geq -12$

33) $2(6 + x) \geq -12$

34) $3(x - 5) < -6$

35) $10 + 5x < -15$

36) $6(6 + x) \geq -18$

37) $2(x - 5) \geq -14$

38) $6(x + 4) < -12$

39) $3(x - 8) \geq -48$

40) $-(6 - 4x) > -30$

41) $2(2 + 2x) > -60$

42) $-3(4 + 2x) > -24$

Capítulo 8: Respuestas

1) -3
2) 6
3) -11
4) -5
5) -21
6) 12
7) 31
8) 32
9) 18
10) 42
11) 1
12) 8
13) -3
14) -9
15) -5
16) -4
17) 8
18) 10
19) $x = 2, y = 5$
20) $x = 4, y = 3$
21) $x = 4, y = 1$
22) $x = -2, y = -1$

23) 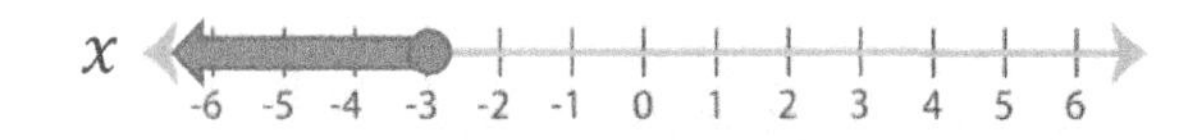

24) 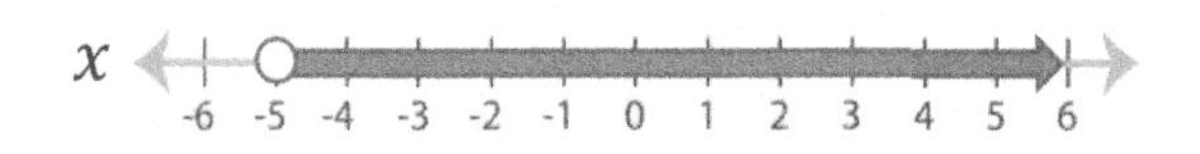

25) 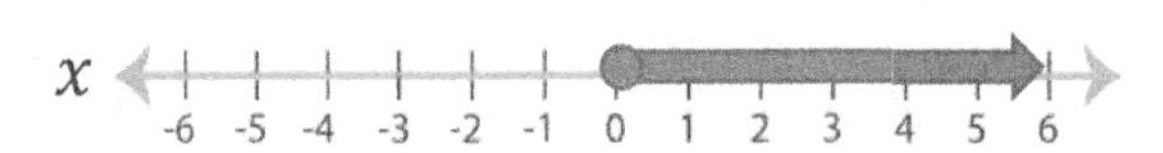

26) 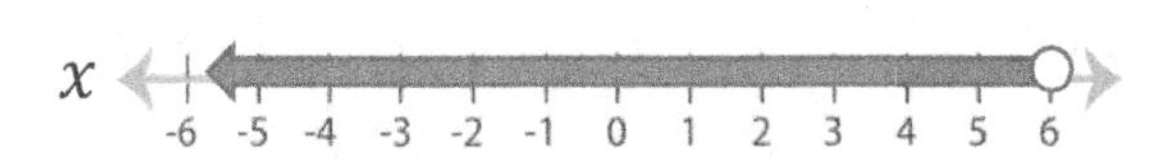

27) $x > -9$
28) $x > -1$
29) $x \leq 19$
30) $x \leq 2$
31) $x \leq 3$
32) $x \geq -6$
33) $x \geq -12$
34) $x < 3$
35) $x < -5$
36) $x \geq -9$
37) $x \geq -2$
38) $x < -6$
39) $x \geq -8$
40) $x > -6$
41) $x > -16$
42) $x < 2$

CAPÍTUL

9 Líneas y pendientes

Temas matemáticos que aprenderás en este capítulo:

- ☑ Encontrar pendiente
- ☑ Graficación de líneas mediante la forma de pendiente-intersección
- ☑ Escribir ecuaciones lineales
- ☑ Encontrar el punto medio
- ☑ Encontrar la distancia de dos puntos
- ☑ Graficación de desigualdades lineales

77

Encontrar la pendiente

- La pendiente de una línea representa la dirección de una línea en el plano de coordenadas.
- Un plano de coordenadas contiene dos rectas numéricas perpendiculares. La línea horizontal es y la línea vertical es. El punto en el que los dos ejes se cruzan se denomina origen. Un par ordenado (,) muestra la ubicación de un punto. $xyxy$
- Una línea en un plano de coordenadas se puede dibujar conectando dos puntos.
- Para encontrar la pendiente de una recta, necesitamos la ecuación de la recta o dos puntos en la recta.
- La pendiente de una recta con dos puntos A (x_1, y_1) y B (x_2, y_2) se puede encontrar utilizando esta fórmula: $\frac{y_2 - y_1}{x_2 - x_1} = \frac{rise}{\text{run}}$
- La ecuación de una recta se escribe típicamente como donde $= mx + b$ es la pendiente y es la intersección -.$ymby$

Ejemplos:

Eejemplo 1. Encuentra la pendiente de la línea a través de estos dos puntos:

$\text{A}(1, -6)$ and $B(3, 2)$.

Solución: Dejar.Slope $= \frac{y_2 - y_1}{x_2 - x_1}$ (x_1, y_1) be $\text{A}(1, -6)$ and (x_2, y_2) be $B(3, 2)$

(Recuerde, puede elegir cualquier punto para y).$(x_1, y_1)(x_2, y_2)$

Entonces: slope $= \frac{y_2 - y_1}{x_2 - x_1} = \frac{2-(-6)}{3-1} = \frac{8}{2} = 4$

La pendiente de la línea a través de estos dos puntos es. 4

Example 2. Encontrar la pendiente de la recta con ecuación $\text{y} = -2x + 8$

Solución: Cuándo la ecuación de una recta está escrita en la forma de $y = mx + b$, la pendiente es m. En esta línea: $y = -2x + 8$, la pendiente es -2.

Graficación de líneas mediante la forma de pendiente-intersección

- Forma de intersección de pendiente de una línea: dada la pendiente $\boldsymbol{m}$ y $\boldsymbol{y}$ la intersección (la intersección de la línea y el $-y$eje) $\boldsymbol{b}$, entonces la ecuación de la línea es:

$$\boldsymbol{y = mx + b}$$

- Para dibujar el gráfico de una ecuación lineal en forma de intersección de pendiente en el plano de coordenadas, encuentre dos puntos en la línea conectando dos valores para y calculando los valores de. $xyxy$
- También puede usar la pendiente () y un punto para graficar la línea. m

Ejemplo:

Eejemplo. Esboza el gráfico de.$y = 2x - 4$

Solución: Para graficar esta línea, necesitamos encontrar dos puntos. Cuando es cero el valor de es. Y cuándo es el valor de es. $xy - 4x2y0$

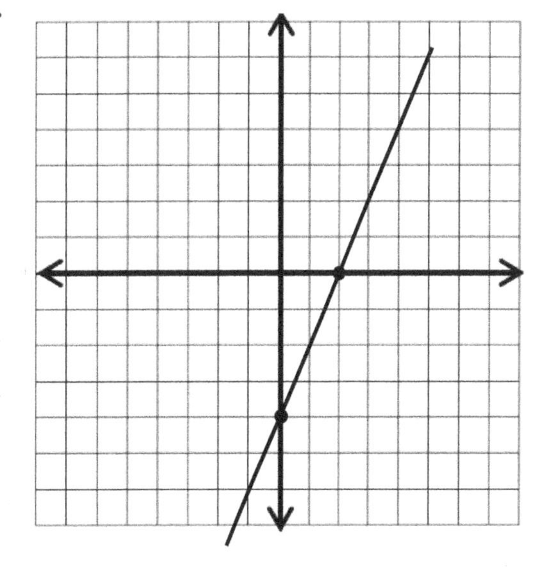

$$x = 0 \rightarrow y = 2(0) - 4 = -4,$$
$$y = 0 \rightarrow 0 = 2x - 4 \rightarrow x = 2$$

Ahora, tenemos dos puntos:
$(0, -4)$ y $(2, 0)$.
Busque los puntos en el plano de coordenadas y grafique la línea. Recuerda que la pendiente de la línea es 2.

Escribir ecuaciones lineales

- La ecuación de una recta en forma de intersección de pendiente: $\boldsymbol{y = mx + b}$
- Para escribir la ecuación de una recta, primero identifique la pendiente.
- Encuentra la intersección y. Esto se puede hacer sustituyendo la pendiente y las coordenadas de un punto $(\boldsymbol{x}, \boldsymbol{y})$ en la línea.

Ejemplos:

Ejemplo 1. ¿Cuál es la ecuación de la línea que pasa a través $(3, -4)$ y tiene una pendiente de 6?

Solución: La forma general de intersección de pendiente de la ecuación de una recta es $y = mx + b$, donde es la pendiente y es la -intercepción. mby Por sustitución del punto dado y la pendiente dada:
$y = mx + b \rightarrow -4 = (6)(3) + b$. Entonces, y la ecuación requerida
$b = -4 - 18 = -22$de la recta es:$y = 6x - 22$

Ejemplo 2. Escribe la ecuación de la recta a través de dos puntos y.$A(3,1)B(-2,6)$

Solución: Primero, encontrar la pendiente: $Slop = \frac{y_2 - y_1}{x_2 - x_1} = \frac{6-1}{-2-3} = \frac{5}{-5} = -1 \rightarrow m = -1$
Para encontrar el valor de, utilice cualquiera de los puntos y conecte los valores de y en la ecuación. La respuesta será la misma: Revisemos ambos puntos. Entonces: $bxyy = -x + b(3,1) \rightarrow y = mx + b \rightarrow 1 = -1(3) + b \rightarrow b = 4$
$(-2,6) \rightarrow y = mx + b \rightarrow 6 = -1(-2) + b \rightarrow b = 4$.
La -intercepción de la línea es $y4$. La ecuación de la recta es: $y = -x + 4$

Ejemplo 3. ¿Cuál es la ecuación de la línea que pasa a través y tiene una pendiente de? $(4, -1)4$

Solución: La forma general de intersección de pendiente de la ecuación de una recta es $y = mx + b$Dónde m es la pendiente y b es el y-interceptar. Por sustitución de la dado punto y pendiente dada: $y = mx + b \rightarrow -1 = (4)(4) + b$
Entonces, y la ecuación de la recta es: $b = -1 - 16 = -17y = 4x - 17$.

Encontrar el punto medio

- El centro de un segmento de línea es su punto medio.
- El punto medio de dos puntos finales A () y B () se puede encontrar utilizando esta fórmula: M (,)$x_1, y_1 x_2, y_2 \frac{x_1+x_2}{2}\ \frac{y_1+y_2}{2}$

Ejemplos:

Example 1. Busque el punto medio del segmento de línea con los extremos dados.$(2,-4),(6,8)$

Solución: Punto medio $= \left(\frac{x_1+x_2}{2}, \frac{y_1+y_2}{2}\right) \rightarrow (x_1, y_1) = (2,-4)$ and $(x_2, y_2) = (6,8)$
Centro $= \left(\frac{2+6}{2}, \frac{-4+8}{2}\right) \rightarrow \left(\frac{8}{2}, \frac{4}{2}\right) \rightarrow M(4,2)$

Example 2. Busque el punto medio del segmento de línea con los extremos dados. $(-2,3),(6,-7)$

Solución: Punto medio $= \left(\frac{x_1+x_2}{2}, \frac{y_1+y_2}{2}\right) \rightarrow (x_1, y_1) = (-2{,}3)$ and $(x_2, y_2) = (6,-7)$
Centro $= \left(\frac{-2+6}{2}, \frac{3+(-7)}{2}\right) \rightarrow \left(\frac{4}{2}, \frac{-4}{2}\right) \rightarrow M(2,-2)$

Example 3. Busque el punto medio del segmento de línea con los extremos dados. $(7,-4),(1,8)$

Solución: Punto medio $= \left(\frac{x_1+x_2}{2}, \frac{y_1+y_2}{2}\right) \rightarrow (x_1, y_1) = (7,-4)$ and $(x_2, y_2) = (1,8)$
Centro $= \left(\frac{7+1}{2}, \frac{-4+8}{2}\right) \rightarrow \left(\frac{8}{2}, \frac{4}{2}\right) \rightarrow M(4,2)$

Example 4. Busque el punto medio del segmento de línea con los extremos dados. $(6,3),(10,-9)$

Solución: Punto medio $= \left(\frac{x_1+x_2}{2}, \frac{y_1+y_2}{2}\right) \rightarrow (x_1, y_1) = (6,3)$and $(x_2, y_2) = (10,-9)$
Centro $= \left(\frac{6+10}{2}, \frac{3-9}{2}\right) \rightarrow \left(\frac{16}{2}, \frac{-6}{2}\right) \rightarrow M(8,-3)$

Encontrar la distancia de dos puntos

- Utilice la siguiente fórmula para encontrar la distancia de dos puntos con las coordenadas A () y B ():$x_1, y_1 x_2, y_2$

$$d = \sqrt{(x_2 - x_1)^2 + (y_2 - y_1)^2}$$

Ejemplos:

Example 1. Encuentre la distancia entre $(4,2)$ y $(-5,-10)$ en el plano de coordenadas.

Solución: Utilice la fórmula de distancia de dos puntos: $d = \sqrt{(x_2 - x_1)^2 + (y_2 - y_1)^2}$

$(x_1, y_1) = (4,2)$ and $(x_2, y_2) = (-5,-10)$. Entonces: $d = \sqrt{(x_2 - x_1)^2 + (y_2 - y_1)^2} \rightarrow$

$$= \sqrt{(-5-4)^2 + (-10-2)^2} = \sqrt{(-9)^2 + (-12)^2} = \sqrt{81 + 144} = \sqrt{225} = 15$$

Entonces: $d = 15$

Example 2. Encuentra la distancia de dos puntos $(-1,5)$ y.$(-4,1)$

Solución: Utilice la fórmula de distancia de dos puntos:$d = \sqrt{(x_2 - x_1)^2 + (y_2 - y_1)^2}$

$$(x_1, y_1) = (-1,5), \text{and } (x_2, y_2) = (-4,1)$$

Entonces: Entonces: $= \sqrt{(x_2 - x_1)^2 + (y_2 - y_1)^2} \rightarrow d = \sqrt{(-4-(-1))^2 + (1-5)^2} =$

$\sqrt{(-3)^2 + (-4)^2} = \sqrt{9 + 16} = \sqrt{25} = 5d = 5$

Example 3. Encuentra la distancia entre $(-6,5)$ y.$(-1,-7)$

Solución: Utilice la fórmula de distancia de dos puntos: $d = \sqrt{(x_2 - x_1)^2 + (y_2 - y_1)^2}$

$(x_1, y_1) = (-6,5)$ and $(x_2, y_2) = (-1,-7)$. Entonces: $d = \sqrt{(x_2 - x_1)^2 + (y_2 - y_1)^2}$

$$d = \sqrt{(-1-(-6))^2 + (-7-5)^2} = \sqrt{(5)^2 + (-12)^2} = \sqrt{25 + 144} = \sqrt{169} = 13$$

Graficación de desigualdades lineales

- Para graficar una desigualdad lineal, primero dibuje un gráfico de la línea "igual".
- Utilice una línea de guion para los signos menor que (<) y mayor que (>) y una línea sólida para menos que e igual a (≤) y mayor que e igual a (≥).
- Elija un punto de prueba. (puede ser cualquier punto a ambos lados de la línea).
- Poner el valor de (x, y)ese punto en la desigualdad. Si eso funciona, esa parte de la línea es la solución. Si los valores no funcionan, entonces la otra parte de la línea es la solución.

Ejemplo:

Esboza el gráfico de desigualdad: $y < 2x + 4$

Solución: Para dibujar el gráfico $y < 2x + 4$ de, primero debe graficar la línea:
$y = 2x + 4$

Dado que hay un signo menor que (<), dibuje una línea de guion.

La pendiente es 2 y -interceptó es. 2y4

Luego, elija un punto de prueba y sustituya el valor de y desde ese punto en la desigualdad. El punto más fácil de probar es el origen: $xy(0, 0)$

$(0,0) \rightarrow y < 2x + 4 \rightarrow 0 < 2(0) + 4 \rightarrow 0 < 4$

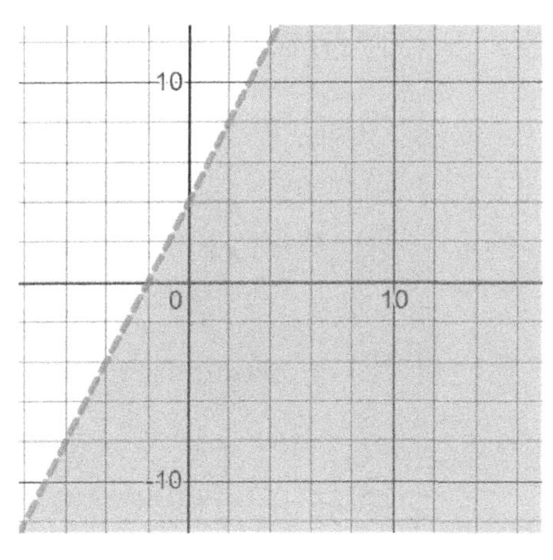

¡Esto es correcto! 0 es menor que. Entonces 4, esta parte de la línea (en el lado derecho) es la solución de esta desigualdad.

Capítulo 9: Prácticas

Encuentra la pendiente de cada línea.

1) $y = x - 5$

2) $y = 2x + 6$

3) $y = -5x - 8$

4) Línea a través de $(2, 6)$ and $(5, 0)$

5) Línea a través de $(8, 0)$ and $(-4, 3)$

6) a través de $(-2, -4)$ and $(-4, 8)$

Esboza el gráfico de cada línea. (Uso de la forma pendiente-intercepción)

7) $y = x + 4$

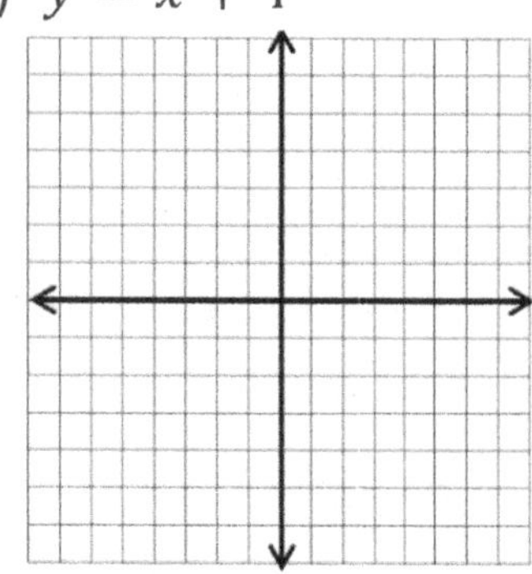

8) $y = 2x - 5$

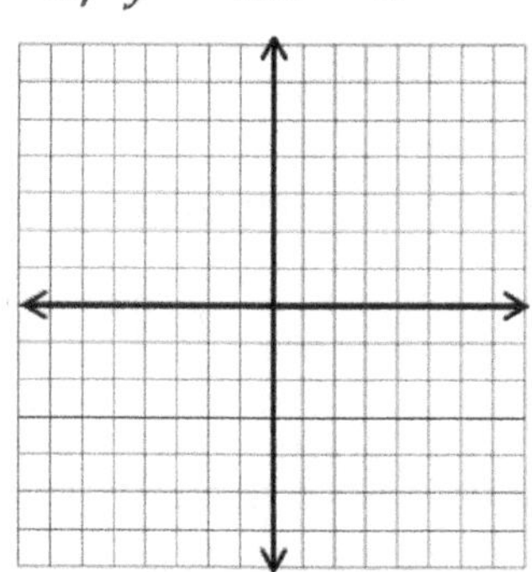

Resolver.

9) ¿Cuál es la ecuación de una recta con pendiente 4 e intersección 16? ____________________

10) ¿Cuál es la ecuación de una recta con pendiente 3 y pasa a través del punto? ______________________________ $(1, 5)$

11) ¿Cuál es la ecuación de una recta con pendiente y pasa a través del punto? ______________ $-5(-2, 7)$

12) La pendiente de una línea es y pasa por el punto. ¿Cuál es la ecuación de la línea? ______________ $-4(-6, 2)$

13) La pendiente de una línea es -3 y pasa por el punto $(-3, -6)$. ¿Cuál es la ecuación de la línea? ______________

Esboza el gráfico de cada desigualdad lineal.

14) $y > 2x - 2$

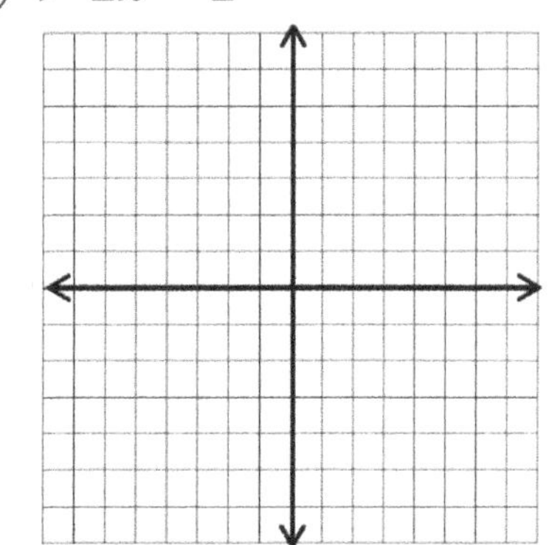

15) $y < -x + 3$

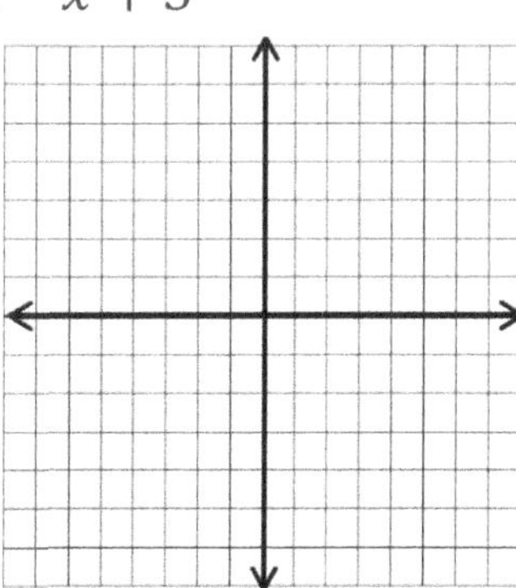

Busque el punto medio del segmento de línea con los extremos dados.

16) $(5,0),(1,4)$

17) $(2,3),(4,7)$

18) $(8,1),(2,5)$

19) $(5,10),(3,6)$

20) $(4,-1),(-2,7)$

21) $(2,-5),(4,1)$

22) $(7,6),(-5,2)$

23) $(-2,8),(4,-6)$

Encuentra la distancia entre cada par de puntos.

24) $(-2,8),(-6,8)$

25) $(4,-4),(14,20)$

26) $(-1,9),(-5,6)$

27) $(0,3),(4,3)$

28) $(0,-2),(5,10)$

29) $(4,3),(7,-1)$

30) $(2,6),(10,-9)$

31) $(3,3),(6,-1)$

32) $(-2,-12),(14,18)$

33) $(2,-2),(12,22)$

Capítulo 9: Respuestas

1) 1
2) 2
3) -5
4) -2
5) $-\frac{1}{4}$
6) -6

7) $y = x + 4$

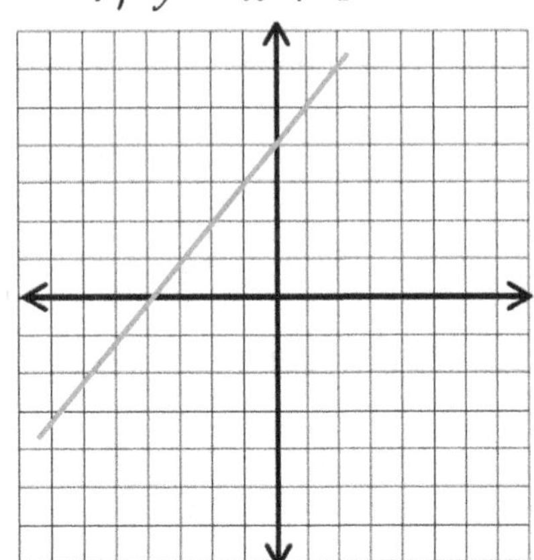

8) $y = 2x - 5$

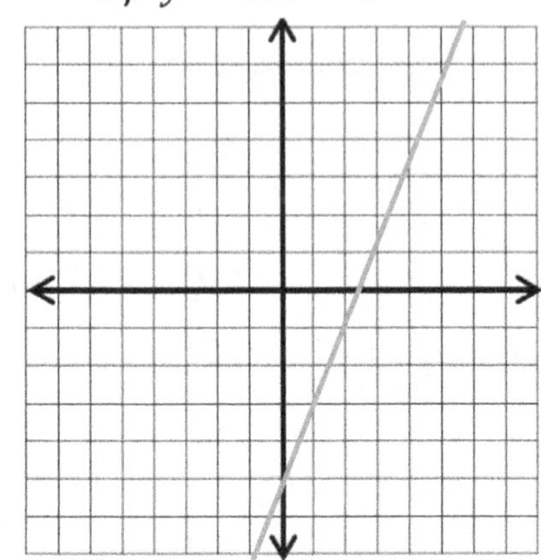

9) $y = 4x + 16$
10) $y = 3x + 2$
11) $y = -5x - 3$
12) $y = -4x - 22$
13) $y = -3x - 15$

14) $y > 2x - 2$

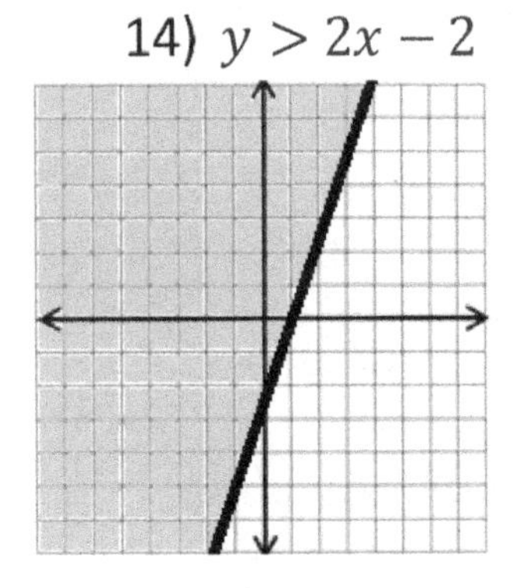

15) $y < -x + 3$

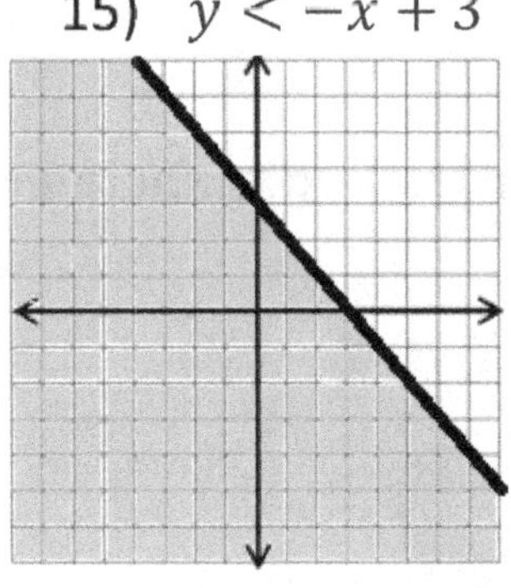

16) $(3,2)$
17) $(3,5)$
18) $(5,3)$
19) $(4,8)$
20) $(1,3)$
21) $(3,-2)$
22) $(1,4)$
23) $(1,1)$
24) 4
25) 26
26) 5
27) 4
28) 13
29) 5
30) 17
31) 5
32) 34
33) 26

CAPÍTUL

10 Polinomios

Temas matemáticos que aprenderás en este capítulo:

- ☑ Simplificación de polinomios
- ☑ Sumar y restar polinomios
- ☑ Multiplicación de monomios
- ☑ Multiplicar y dividir monomios
- ☑ Multiplicando un polinomio y un monomio
- ☑ Multiplicando Binomios
- ☑ Trinomios de factoraje

Simplificación de polinomios

- Para simplificar polinomios, encontrar términos "similares". (tienen las mismas variables con la misma potencia).
- Utilizar "FOIL". (primero-fuera-en-ultimo) para los binomios:

$$(x + a)(x + b) = x^2 + (b + a)x + ab$$

-Sumar o restar, términos "iguales", usando orden de operación.

Ejemplos:

Ejemplo 1. Simplifica la expresión. $x(4x + 7) - 2x =$

Solución: Utilizar propiedad distributiva: $x(4x + 7) = 4x^2 + 7x$

Ahora, combinar términos iguales: $x(4x + 7) - 2x = 4x^2 + 7x - 2x = 4x^2 + 5x$

Ejemplo 2. Simplifica la expresión. $(x + 3)(x + 5) =$

Solución: Primero, aplicar el método FOIL: $(a + b)(c + d) = ac + ad + bc + bd$

$(x + 3)(x + 5) = x^2 + 5x + 3x + 15$

Ahora, combinar términos iguales: $x^2 + 5x + 3x + 15 = x^2 + 8x + 15$

Ejemplo 3. Simplifica esta expresión. $2x(x - 5) - 3x^2 + 6x =$

Solución: Utilizar propiedad distributiva: $2x(x - 5) = 2x^2 - 10x$

Entonces: $2x(x - 5) - 3x^2 + 6x = 2x^2 - 10x - 3x^2 + 6x$

Ahora, combinar términos iguales: $2x^2 - 3x^2 = -x^2$, y $-10x + 6x = -4x$

La simplificación de esta expresión: $2x^2 - 10x - 3x^2 + 6 = -x^2 - 4x$

Más información en bit.ly/3rnAcj8

Suma y resta de polinomios.

- La suma de polinomios es sólo una cuestión de combinar términos similares, con algunas consideraciones sobre el orden de las operaciones.

- Ten cuidado con los signos menos y no confundas la suma con la multiplicación.

- Para restar polinomios, a veces es necesario utilizar la propiedad distributiva: $a(b+c) = ab + ac$, $a(b-c) = ab - ac$

Ejemplos:

Ejemplo 1. Simplifica la expresión. $(x^2 - 2x^3) - (x^3 - 3x^2) =$

Solución: Primero, utilizar propiedad distributiva:

$-(x^3 - 3x^2) = -x^3 + 3x^2$.

$\rightarrow (x^2 - 2x^3) - (x^3 - 3x^2) = x^2 - 2x^3 - x^3 + 3x^2$

Ahora combina términos semejantes: $-2x^3 - x^3 = -3x^3$ and $x^2 + 3x^2 = 4x^2$

Entonces: $(x^2 - 2x^3) - (x^3 - 3x^2) = x^2 - 2x^3 - x^3 + 3x^2 = -3x^3 + 4x^2$

Ejemplo 2. Sumar expresiones. $(3x^3 - 5) + (4x^3 - 2x^2) =$

Solución: quitar paréntesis:

$$(3x^3 - 5) + (4x^3 - 2x^2) = 3x^3 - 5 + 4x^3 - 2x^2$$

Ahora combina términos semejantes: $3x^3 - 5 + 4x^3 - 2x^2 = 7x^3 - 2x^2 - 5$

Ejemplo 3. Simplifica la expresión. $(-4x^2 - 2x^3) - (5x^2 + 2x^3) =$

Solución: primero, utilizar propiedad distributiva: $-(5x^2 + 2x^3) = -5x^2 - 2x^3 \rightarrow$

$$(-4x^2 - 2x^3) - (5x^2 + 2x^3) = -4x^2 - 2x^3 - 5x^2 - 2x^3$$

Ahora combina términos semejantes y escribe en forma normal:

$-4x^2 - 2x^3 - 5x^2 - 2x^3 = -4x^3 - 9x^2$

Multiplicación de monomios

- Un monomio es un polinomio con un solo término: Ejemplos: $2x$ o $7y^2$.

- Cuando se multiplican monomios, primero se multiplican los coeficientes (un número colocado antes de la variable y que la multiplica) y luego se multiplican las variables utilizando la propiedad de multiplicación de los exponentes.

$$x^a \times x^b = x^{a+b}$$

Ejemplos:

Ejemplo 1. Multiplica la expresión. $2xy^3 \times 6x^4y^2$

Solución: Encontrar las mismas variables y utilizar la propiedad de multiplicación de los exponentes: $x^a \times x^b = x^{a+b}$

$x \times x^4 = x^{1+4} = x^5$ y $y^3 \times y^2 = y^{3+2} = y^5$

Entonces, multiplicar los coeficientes y variables. $2xy^3 \times 6x^4y^2 = 12x^5y^5$

Ejemplo 2. Multiplica la expresión. $7a^3b^8 \times 3a^6b^4 =$

Solución: Utilizar la propiedad de multiplicación de los exponentes: $x^a \times x^b = x^{a+b}$

$a^3 \times a^6 = a^{3+6} = a^9$ y $b^8 \times b^4 = b^{8+4} = b^{12}$

Entonces: $7a^3b^8 \times 3a^6b^4 = 21a^9b^{12}$

Ejemplo 3. Multiplicar. $5x^2y^4z^3 \times 4x^4y^7z^5$

Solución: Utilizar la propiedad de multiplicación de los exponentes: $x^a \times x^b = x^{a+b}$

$x^2 \times x^4 = x^{2+4} = x^6$, $y^4 \times y^7 = y^{4+7} = y^{11}$ y $z^3 \times z^5 = z^{3+5} = z^8$

Entonces: $5x^2y^4z^3 \times 4x^4y^7z^5 = 20x^6y^{11}z^8$

Ejemplo 4. Simplificar. $(-6a^7b^4)(4a^8b^5) =$

Solución: Utilizar la propiedad de multiplicación de los exponentes: $x^a \times x^b = x^{a+b}$

$a^7 \times a^8 = a^{7+8} = a^{15}$ y $b^4 \times b^5 = b^{4+5} = b^9$

Entonces: $(-6a^7b^4)(4a^8b^5) = -24a^{15}b^9$

Multiplicación y división de monomios

-Cuando divides o multiplicas dos monomios, necesitas dividir o multiplicar sus coeficientes y luego divides o multiplicas sus variables.

-En caso de exponentes con la misma base, para la división se restan sus potencias, para la multiplicación se suman las potencias.

-Reglas de multiplicación y división de exponentes:

$$x^a \times x^b = x^{a+b}, \quad \frac{x^a}{x^b} = x^{a-b}$$

Ejemplos:

Ejemplo 1. Multiplicar expresiones. $(3x^5)(9x^4) =$

Solución: Utilizar la propiedad de multiplicación de los exponentes:

$x^a \times x^b = x^{a+b} \rightarrow x^5 \times x^4 = x^9$

Entonces: $(3x^5)(9x^4) = 27x^9$

Ejemplo 2. Dividir expresiones $\frac{12x^4y^6}{6xy^2} =$

Solución. Utilizar la propiedad de división de los exponentes:

$\frac{x^a}{x^b} = x^{a-b} \rightarrow \frac{x^4}{x} = x^{4-1} = x^3$ y $\frac{y^6}{y^2} = y^{6-2} = y^4$

Entonces: $\frac{12x^4y^6}{6xy^2} = 2x^3y^4$

Ejemplo 3. Dividir expresiones $\frac{49a^6b^9}{7a^3b^4}$

Solución: Utilizar la propiedad de división de los exponentes.

$\frac{x^a}{x^b} = x^{a-b} \rightarrow \frac{a^6}{a^3} = a^{6-3} = a^3$ y $\frac{b^9}{b^4} = b^{9-4} = b^5$

- Entonces: $\frac{49a^6b^9}{7a^3b^4} = 7a^3b^5$

Multiplicación de un polinomio y un monomio.

-Al multiplicar monomios, use la regla del producto para los exponentes.

$$x^a \times x^b = x^{a+b}$$

-Al multiplicar un monomio por un polinomio, utilice la propiedad distributiva.

$$a \times (b + c) = a \times b + a \times c = ab + ac$$

$$a \times (b - c) = a \times b - a \times c = ab - ac$$

Ejemplos:

Ejemplo 1. Multiplicar expresiones. $6x(2x + 5)$

Solución: Use la propiedad distributiva:

$$6x(2x + 5) = 6x \times 2x + 6x \times 5 = 12x^2 + 30x$$

Ejemplo 2. Multiplicar expresiones. $x(3x^2 + 4y^2)$

Solución: Use la propiedad distributiva:

$$x(3x^2 + 4y^2) = x \times 3x^2 + x \times 4y^2 = 3x^3 + 4xy^2$$

Ejemplo 3. Multiplicar. $-x(-2x^2 + 4x + 5)$

Solución: Use la propiedad distributiva:

$$-x(-2x^2 + 4x + 5) = (-x)(-2x^2) + (-x) \times (4x) + (-x) \times (5) =$$

Simplificar:

$$(-x)(-2x^2) + (-x) \times (4x) + (-x) \times (5) = 2x^3 - 4x^2 - 5x$$

Más información en bit.ly/3aBYdx2

Multiplicando Binomios

- Un binomio es un polinomio que es la suma o la diferencia de dos términos, cada uno de los cuales es un monomio

- Para multiplicar dos binomios, utilice el método "FOIL". (Primero-Salir-Ultimo)

$$(x+a)(x+b) = x \times x + x \times b + a \times x + a \times b = x^2 + bx + ax + ab$$

Ejemplos:

Ejemplo 1. Multiplicar binomios: $(x+3)(x-2) =$

Solución: usar "FOIL". (Primero-Salir-Ultimo)

$$(x+3)(x-2) = x^2 - 2x + 3x - 6$$

A continuación, combina los términos similares: $x^2 - 2x + 3x - 6 = x^2 + x - 6$

Ejemplo 2. Multiplicación $(x+6)(x+4) =$

Solución: usar "FOIL". (Primero-Salir-Ultimo)

$$(x+6)(x+4) = x^2 + 4x + 6x + 24$$

A continuación, simplificamos: $x^2 + 4x + 6x + 24 = x^2 + 10x + 24$

Ejemplo 3. Multiplicamos. $(x+5)(x-7) =$

Solución: usar "FOIL". (Primero-Salir-Ultimo)

$$(x+5)(x-7) = x^2 - 7x + 5x - 35$$

A continuación, simplificamos: $x^2 - 7x + 5x - 35 = x^2 - 2x - 35$

Ejemplo 4. Multiplicar binomios. $(x-9)(x-5) =$

Solución: usar "FOIL". (Primero-Salir-Ultimo)

$$(x-9)(x-5) = x^2 - 5x - 9x + 45$$

A continuación, combinar términos semejantes: $x^2 - 5x - 9x + 45 = x^2 - 14x + 45$

Factorización de trinomios

-Para factorizar trinomios, puedes utilizar los siguientes métodos:

- "FOIL": $(x + a)(x + b) = x^2 + (b + a)x + ab$

- "Diferencia de cuadrados":

$$a^2 - b^2 = (a + b)(a - b)$$
$$a^2 + 2ab + b^2 = (a + b)(a + b)$$
$$a^2 - 2ab + b^2 = (a - b)(a - b)$$

- "Revertir Foil": $x^2 + (b + a)x + ab = (x + a)(x + b)$

Ejemplos:

Ejemplo 1. Factoriza este trinomio: $x^2 - 2x - 8$

Solución: Divide la expresión en grupos. Tienes que encontrar dos números que su producto sea -8 y sumados sean -2. (Recuerda "revertir FOIL": $x^2 + (b + a)x + ab = (x + a)(x + b)$). Estos dos numero son 2 y -4. A continuación:

$$x^2 - 2x - 8 = (x^2 + 2x) + (-4x - 8)$$

Ahora factorice x de $x^2 + 2x$: $x(x + 4)$ y factorizar -6 de

$-6x - 24$: $-6(x + 4)$; entonces: $(x + 4) - 6(x + 4)$: ahora el factor como termino

$(x + 4) \rightarrow x(x + 4) - 6(x + 4) = (x + 4)(x - 6)$

Más información en bit.ly/38EpdJA

Capítulo 10: Prácticas

Simplifica cada polinomio.

1) $3(6x + 4) =$

2) $5(3x - 8) =$

3) $x(7x + 2) + 9x =$

4) $6x(x + 3) + 5x =$

5) $6x(3x + 1) - 5x =$

6) $x(3x - 4) + 3x^2 - 6 =$

7) $x^2 - 5 - 3x(x + 8) =$

8) $2x^2 + 7 - 6x(2x + 5) =$

Suma o resta polinomios.

9) $(x^2 + 3) + (2x^2 - 4) =$

10) $(3x^2 - 6x) - (x^2 + 8x) =$

11) $(4x^3 - 3x^2) + (2x^3 - 5x^2) =$

12) $(6x^3 - 7x) - (5x^3 - 3x) =$

13) $(10x^3 + 4x^2) + (14x^2 - 8) =$

14) $(4x^3 - 9) - (3x^3 - 7x^2) =$

15) $(9x^3 + 3x) - (6x^3 - 4x) =$

16) $(7x^3 - 5x) - (3x^3 + 5x) =$

Encuentra los productos. (Multiplicando monomios)

17) $3x^2 \times 8x^3 =$

18) $2x^4 \times 9x^3 =$

19) $-4a^4b \times 2ab^3 =$

20) $(-7x^3yz) \times (3xy^2z^4) =$

21) $-2a^5bc \times 6a^2b^4 =$

22) $9u^3t^2 \times (-2ut) =$

23) $12x^2z \times 3xy^3 =$

24) $11x^3z \times 5xy^5 =$

25) $-6a^3bc \times 5a^4b^3 =$

26) $-4x^6y^2 \times (-12xy) =$

Simplifica cada expresión. (Multiplicar y dividir monomios)

27) $(7x^2y^3)(3x^4y^2) =$

28) $(6x^3y^2)(4x^4y^3) =$

29) $(10x^8y^5)(3x^5y^7) =$

30) $(15a^3b^2)(2a^3b^8) =$

31) $\frac{42x^4y^2}{6x^3y} =$

32) $\frac{49x^5y^6}{7x^2y} =$

33) $\frac{63x^{15}y^{10}}{9x^8y^6} =$

34) $\frac{35x^8y^{12}}{5x^4y^8} =$

Encuentra cada producto. (Multiplicando un polinomio y un monomio)

35) $3x(5x - y) =$

36) $2x(4x + y) =$

37) $7x(x - 3y) =$

38) $x(2x^2 + 2x - 4) =$

39) $5x(3x^2 + 8x + 2) =$

40) $7x(2x^2 - 9x - 5) =$

Encuentra cada producto. (Multiplicando Binomios)

41) $(x - 3)(x + 3) =$

42) $(x - 6)(x + 6) =$

43) $(x + 10)(x + 4) =$

44) $(x - 6)(x + 7) =$

45) $(x + 2)(x - 5) =$

46) $(x - 10)(x + 3) =$

Factorice cada trinomio.

47) $x^2 + 6x + 8 =$

48) $x^2 + 3x - 10 =$

49) $x^2 + 2x - 48 =$

50) $x^2 - 10x + 16 =$

51) $2x^2 - 10x + 12 =$

52) $3x^2 - 10x + 3 =$

Capítulo 10: Respuestas

1) $18x + 12$
2) $15x - 40$
3) $7x^2 + 11x$
4) $6x^2 + 23x$
5) $18x^2 + x$
6) $6x^2 - 4x - 6$
7) $-2x^2 - 24x - 5$
8) $-10x^2 - 30x + 7$
9) $3x^2 - 1$
10) $2x^2 - 14x$
11) $6x^3 - 8x^2$
12) $x^3 - 4x$
13) $10x^3 + 18x^2 - 8$
14) $x^3 + 7x^2 - 9$
15) $3x^3 + 7x$
16) $4x^3 - 10x$
17) $24x^5$
18) $18x^7$
19) $-8a^5b^4$
20) $-21x^4y^3z^5$
21) $-12a^7b^5c$
22) $-18u^4t^3$
23) $36x^3y^3z$
24) $55x^4y^5z$
25) $-30a^7b^4c$
26) $48x^7y^3$
27) $21x^6y^5$
28) $24x^7y^5$
29) $30x^{13}y^{12}$
30) $30a^6b^{10}$
31) $7xy$
32) $7x^3y^5$
33) $7x^7y^4$
34) $7x^4y^4$
35) $15x^2 - 3xy$
36) $8x^2 + 2xy$
37) $7x^2 - 21xy$
38) $2x^3 + 2x^2 - 4x$
39) $15x^3 + 40x^2 + 10x$
40) $14x^3 - 63x^2 - 35x$
41) $x^2 - 9$
42) $x^2 - 36$
43) $x^2 + 14x + 40$
44) $x^2 + x - 42$
45) $x^2 - 3x - 10$
46) $x^2 - 7x - 30$
47) $(x + 4)(x + 2)$
48) $(x + 5)(x - 2)$
49) $(x - 6)(x + 8)$
50) $(x - 8)(x - 2)$
51) $(2x - 4)(x - 3)$
52) $(3x - 1)(x - 3)$

CAPÍTUL

11 Geometría y figuras y sólidas

Temas matemáticos que aprenderás en este capítulo:

- ☑ El teorema de Pitágoras
- ☑ Ángulos complementarios y suplementarios
- ☑ Líneas paralelas y transversales
- ☑ Triángulos
- ☑ Triángulos rectángulos especiales
- ☑ Polígonos
- ☑ Círculos
- ☑ Trapezoides
- ☑ Cubos
- ☑ Prismas rectángulos
- ☑ Cilindro

Teorema de Pitágoras

- Puedes utilizar el Teorema de Pitágoras para encontrar un lado que falta en un triángulo rectángulo.
- En cualquier triángulo rectángulo: $a^2 + b^2 = c^2$

Ejemplos:

Ejemplo 1. El triángulo rectángulo ABC (no mostrado) tiene dos catetos de longitudes 3 cm (AB) y 4 cm (AC). ¿Cuál es la longitud de la hipotenusa del triángulo (lado BC)?

Solución: Utilizar el teorema de Pitágoras: $a^2 + b^2 = c^2$, $a = 3$, y $b = 4$

A continuación: $a^2 + b^2 = c^2 \rightarrow 3^2 + 4^2 = c^2 \rightarrow 9 + 16 = c^2 \rightarrow 25 = c^2 \rightarrow c = \sqrt{25} = 5$

La longitud de la hipotenusa es de 5 cm.

Ejemplo 2. Encontrar la hipotenusa del triángulo.

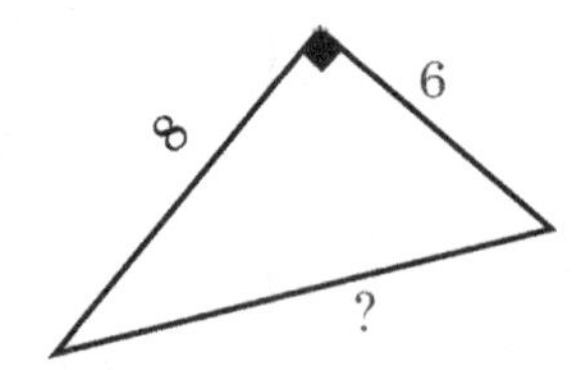

Solución: Utilizar el teorema de Pitágoras. $a^2 + b^2 = c^2$

A continuación: $a^2 + b^2 = c^2 \rightarrow 8^2 + 6^2 = c^2 \rightarrow 64 + 36 = c^2$

$c^2 = 100 \rightarrow c = \sqrt{100} = 10$

Ejemplo 3. Encontrar la longitud del lado que falta en este triángulo

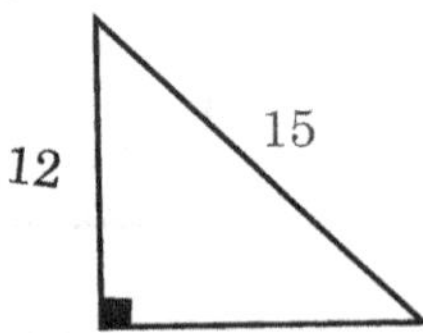

Solución: Utilizar el teorema de Pitágoras. $a^2 + b^2 = c^2$

A continuación: $a^2 + b^2 = c^2 \rightarrow 12^2 + b^2 = 15^2 \rightarrow 144 + b^2 =$

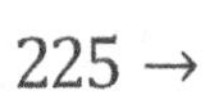

$225 \rightarrow$

$b^2 = 225 - 144 \rightarrow b^2 = 81 \rightarrow b = \sqrt{81} = 9$

Ángulos complementarios y suplementarios

-Dos ángulos con una suma de 90 grados se llaman ángulos complementarios.

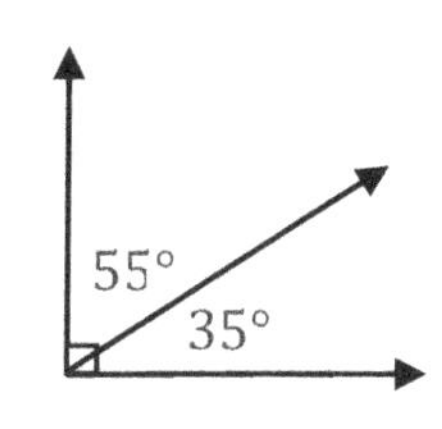

-Dos ángulos con una suma de 180 se llaman ángulos suplementarios.

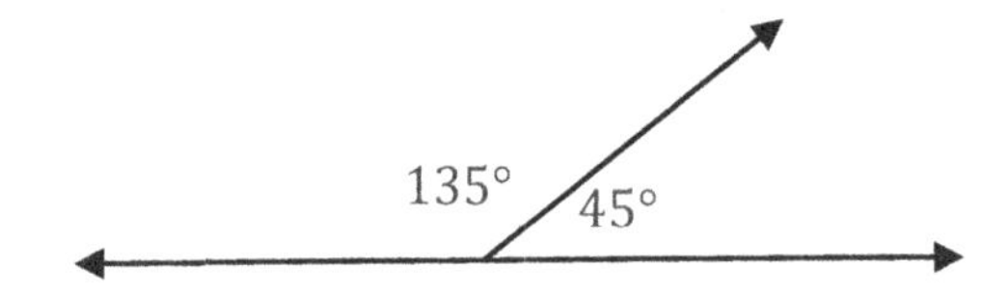

Ejemplos:

Ejemplo 1. Encontrar el ángulo faltante.

Solución: Observa que los dos ángulos forman un ángulo recto. Esto significa que los ángulos son complementarios y su suma es 90.

A continuación: $18 + x = 90 \rightarrow x = 90^{\circ} - 18^{\circ} = 72^{\circ}$

El ángulo faltante es 72 grados. $x = 72°$

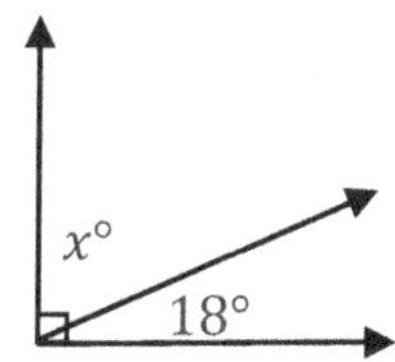

Ejemplo 2. Los ángulos Q y S son suplementarios. ¿Cuál es la medida del ángulo Q si el ángulo S es de 35 grados?

Solución: Q y S son suplementarios $\rightarrow Q + S = 180 \rightarrow Q + 35 = 180 \rightarrow$

$$Q = 180 - 35 = 145$$

Ejemplo 3. Los ángulos X y Y son suplementarios. ¿cuál es la medida del ángulo X si el ángulo Y es de 16 grados?

Solución: Ángulos X y Y son complementarios $\rightarrow x + y = 90 \rightarrow x + 16 = 90 \rightarrow$

$$x = 90 - 16 = 74$$

Líneas paralelas y transversales

- Cuando una línea (transversal) cruza dos líneas paralelas en el mismo plano, se forman ocho ángulos. En el siguiente diagrama, una transversal intersecta dos líneas paralelas. Los ángulos 1, 3, 5 y 7 son congruentes. Los ángulos 2, 4, 6 y 8 también son congruentes.
- En el siguiente diagrama, los siguientes ángulos son ángulos suplementarios (su suma es 180):
  - Ángulos 1 y 8
  - Ángulos 2 y 7
  - Ángulos 3 y 6
  - Ángulos 4 y 5

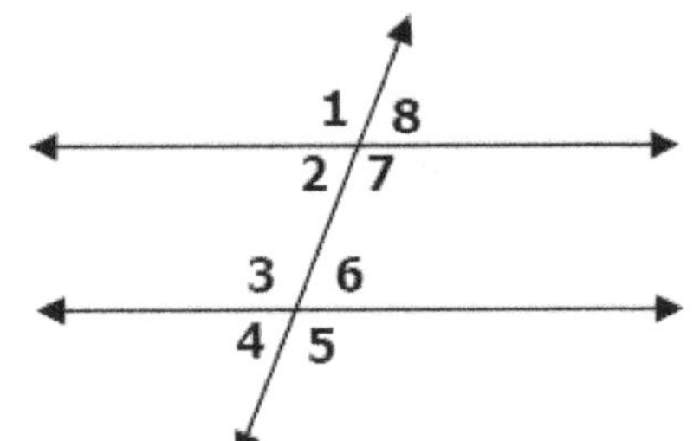

Ejemplo:

En el siguiente diagrama, dos líneas paralelas son cortadas por una transversal. ¿Cuál es el valor de x?

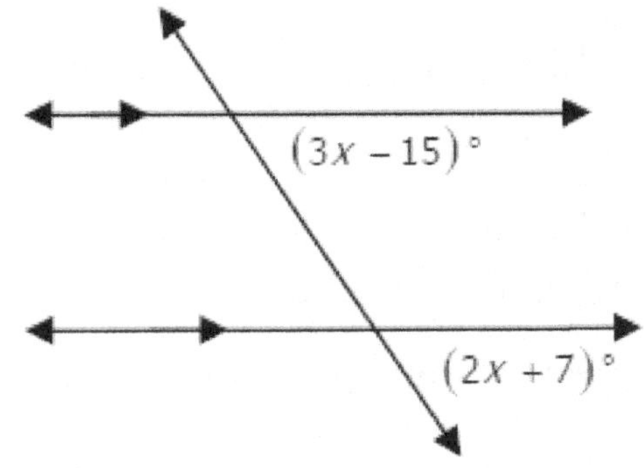

Solución: Los dos ángulos $3x - 15$ y $2x + 7$ son equivalentes.

Es decir: $3x - 15 = 2x + 7$

Ahora, resuelve para: x

$3x - 15 + 15 = 2x + 7 + 15$

$\rightarrow 3x = 2x + 22 \rightarrow 3x - 2x = 2x + 22 - 2x \rightarrow$

$x = 22$

Triángulos

- En cualquier triángulo, la suma de todos los ángulos es de 180 grados.
- Área de un triángulo $= \frac{1}{2}$ $(base \times height)$

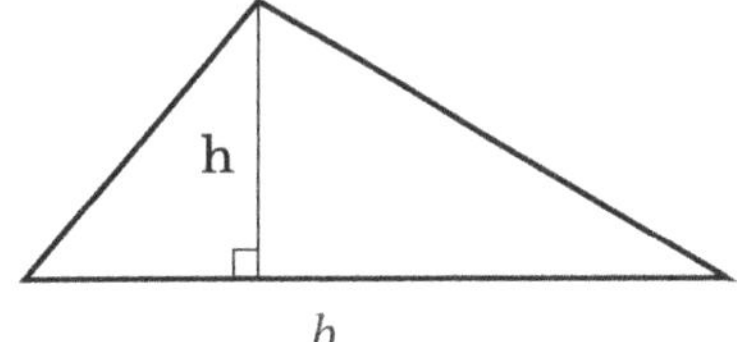

Ejemplos:

Example 1. ¿Cuál es el área de éste ¿Triángulos?

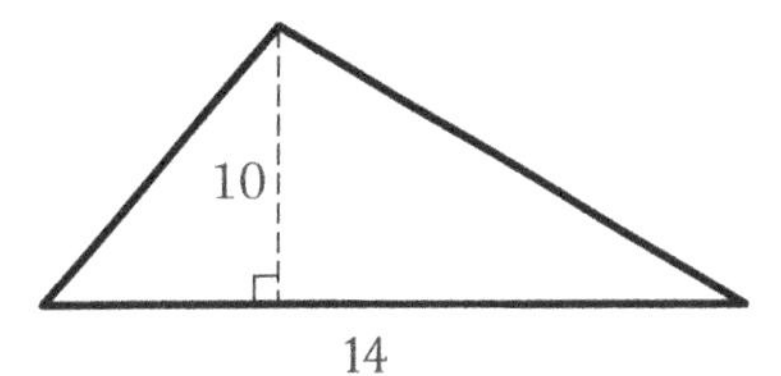

Solución: Utilice la fórmula de área:

$$\text{Area} = \frac{1}{2}(base \times height)$$

$base = 14$ y $height = 10$, Entonces:

$\text{Area} = \frac{1}{2}(14 \times 10) = \frac{1}{2}(140) = 70$

Example 2. ¿Cuál es el área de estos triángulos?

Solución: Utilice la fórmula de área:

$$\text{Area} = \frac{1}{2}(base \times height)$$

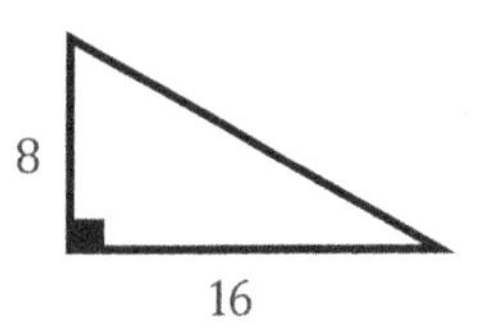

$base = 16$ y ; $height = 8\text{Area} = \frac{1}{2}(16 \times 8) = \frac{128}{2} = 64$

Example 3. ¿Cuál es el ángulo que falta en este triángulo?

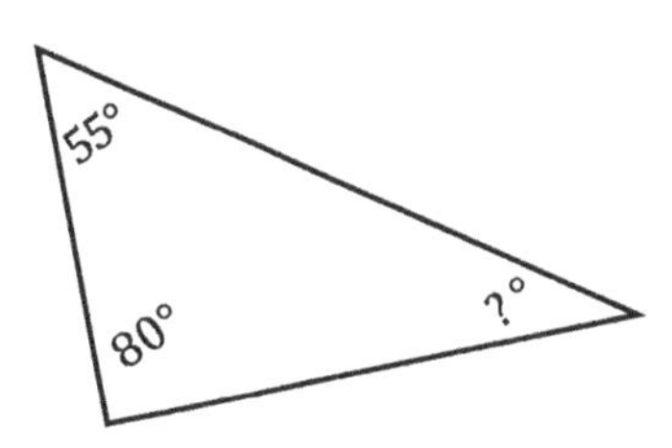

Solución:
En cualquier triángulo, la suma de todos los ángulos es de 180 grados. Sea el ángulo que falta. x
Entonces: $55 + 80 + x = 180 \rightarrow 135 + x = 180 \rightarrow$

$$x = 180 - 135 = 45$$

El ángulo que falta es de 45 grados.

Triángulos rectángulos especiales

- Un triángulo rectángulo especial es un triángulo cuyos lados están en una proporción particular. Dos triángulos rectángulos especiales son y triángulos.$45^\circ - 45^\circ - 90^\circ 30^\circ - 60^\circ - 90^\circ$
- En un triángulo especial, los tres ángulos son , y. Las longitudes de los lados de este triángulo están en la proporción de $45^\circ - 45^\circ - 90^\circ 45^\circ 45^\circ 90^\circ 1:1:\sqrt{2}$.
- En un triángulo especial, los tres ángulos son Las longitudes de este triángulo están en la proporción de . $30^\circ - 60^\circ - 90^\circ 30^\circ - 60^\circ - 90^\circ.1:\sqrt{3}:2$

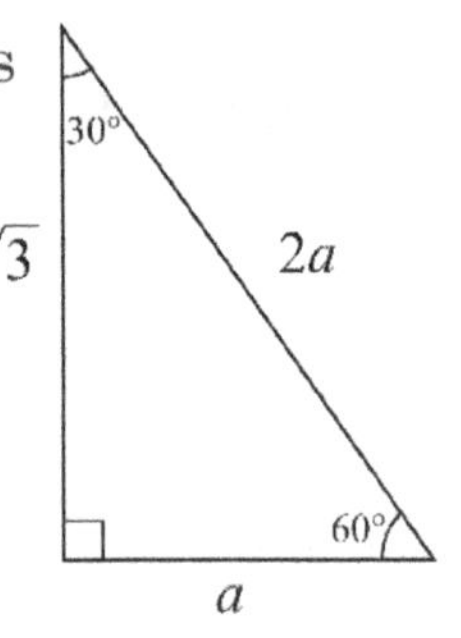

Ejemplos:

Example 1. Encuentre la longitud de la hipotenusa de un triángulo rectángulo si la longitud de los otros dos lados es de 4 pulgadas.

Solución: este es un triángulo rectángulo con dos lados iguales. Por lo tanto, debe ser un triángulo. Dos$45^\circ - 45^\circ - 90^\circ$ lados equivalentes son pulgadas. La proporción de lados: $4x:x:x\sqrt{2}$

La longitud de la hipotenusa es $4\sqrt{2}$ de pulgadas. $x:x:x\sqrt{2} \rightarrow 4:4:4\sqrt{2}$

Example 2. La longitud de la hipotenusa de un triángulo rectángulo es de 6 pulgadas. ¿Cuáles son las longitudes de los otros dos lados si un ángulo del triángulo es 30°?

Solución: La hipotenusa es pulgadas y el triángulo es un triángulo. Entonces, un lado del triángulo es (es la mitad del lado de la hipotenusa) y el otro lado es . (son los tiempos laterales más pequeños) $630^\circ - 60^\circ - 90^\circ 33\sqrt{3}\sqrt{3}$

$$x:x\sqrt{3}:2x \rightarrow x = 3 \rightarrow x:x\sqrt{3}:2x = 3:3\sqrt{3}:6$$

Polígonos

- El perímetro de un cuadrado $= 4 \times side = 4s$

- El perímetro de un rectángulo$= 2(width + length)$

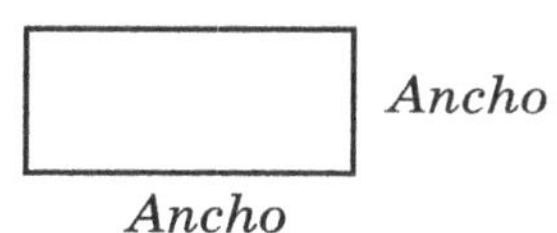

- El perímetro del trapecio$= a + b + c + d$

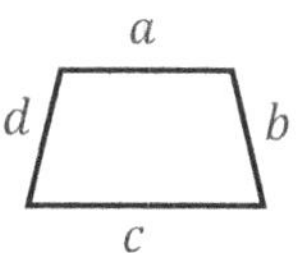

- El perímetro de un hexágono regular $= 6a$

- El perímetro de un paralelogramo $= 2(l + w)$

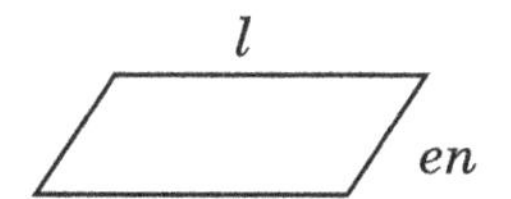

Ejemplos:

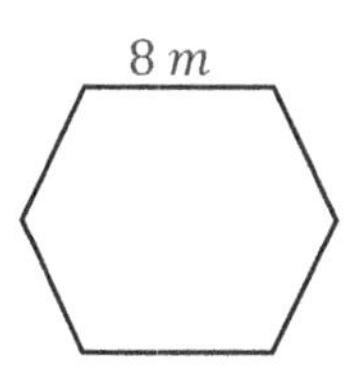

Example 1. Encuentra el perímetro del siguiente hexágono regular.

Solución: Dado que el hexágono es regular, todos los lados son iguales.
Entonces, el perímetro del hexágono$= 6 \times (one\ side)$
El perímetro del hexágono$= 6 \times (one\ side) = 6 \times 8 = 48\ m$

Example 2. Encuentra el perímetro del trapecio siguiente.

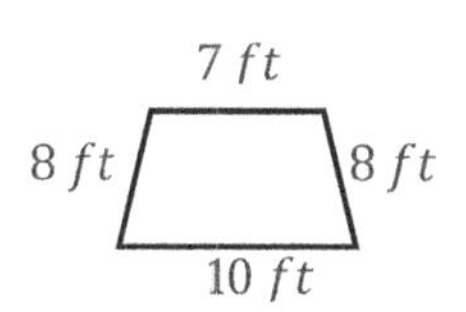

Solución: El perímetro de un trapecio $= a + b + c + d$
El perímetro del trapecio $= 7 + 8 + 8 + 10 = 33\ ft$

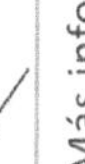

Círculos

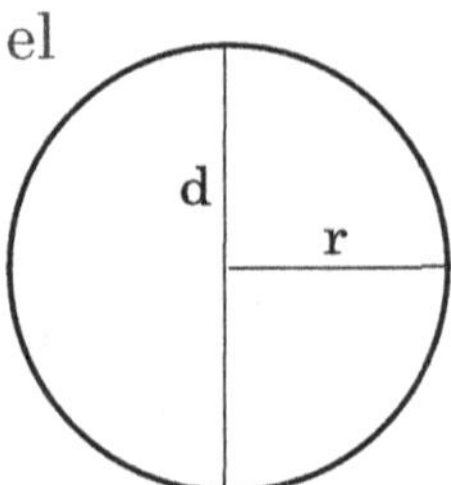

- En un círculo, variable r se utiliza generalmente para el radio y d para el diámetro.
- $Area\ of\ a\ circle = \pi r^2$ (es aproximadamente 3.14)π
- $Circumference\ of\ a\ circle = 2\pi r$

Ejemplos:

Example 1. Encuentra el área de este círculo. (π = 3.14)

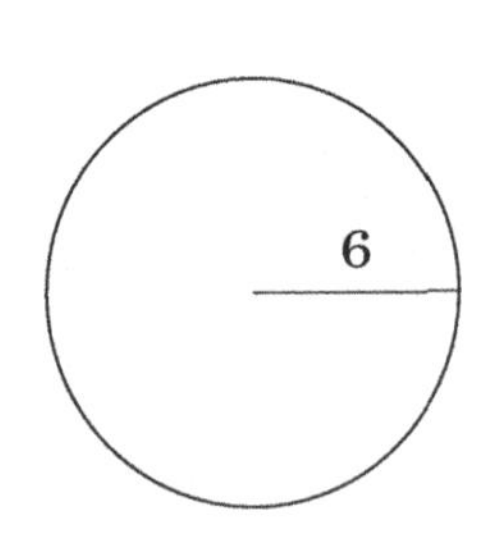

Solución:
Use la fórmula del área: $Area = \pi r^2$
$r = 6\ in \rightarrow Area = \pi(6)^2 = 36\pi$, π = 3.14
Entonces: $Area = 36 \times 3.14 = 113.04\ in^2$

Example 2. Encuentra la circunferencia de este círculo. (π = 3.14)

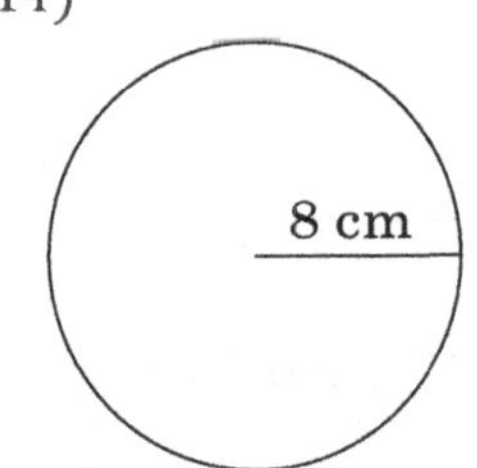

Solución:
Utilice la fórmula de circunferencia: $Circumference = 2\pi r$

$r = 8\ cm \rightarrow Circumference = 2\pi(8) = 16\pi$

π = 3.14, Entonces: $Circumference = 16 \times 3.14 = 50.24\ cm$

Example 3. Encuentra el área de éste circunferencia.

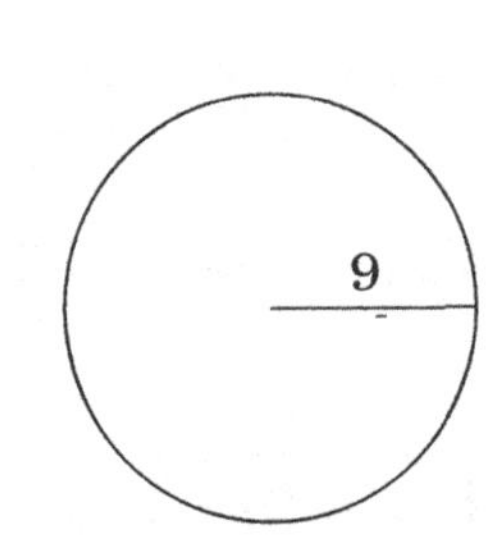

Solución:
Use la fórmula del área: $Area = \pi r^2$
$r = 9\ in$, Entonces: , $Area = \pi(9)^2 = 81\pi$π = 3.14

$Area = 81 \times 3.14 = 254.34\ in^2$

Trapezoides

- Un cuadrilátero con al menos un par de lados paralelos es un trapecio.

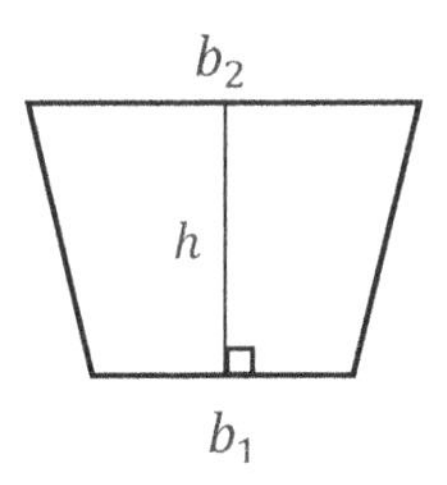

- Area of a trapezoid $= \frac{1}{2}h(b_1 + b_2)$

Ejemplos:

Example 1. Calcula el área de este trapecio.

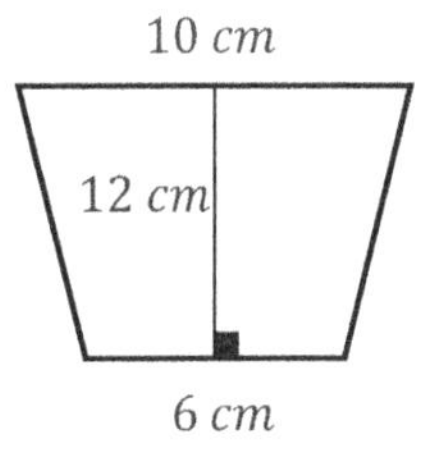

Solución:

Use la fórmula del área: $A = \frac{1}{2}h(b_1 + b_2)$

$b_1 = 6\ cm y\ b_2 = 10\ cm h = 12\ cm$

Entonces: $A = \frac{1}{2}(12)(10 + 6) = 6(16) = 96\ cm^2$

Example 2. Calcula el área de este trapecio.

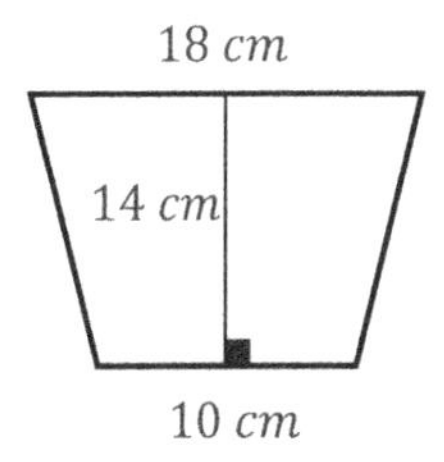

Solución:

Use la fórmula del área: $A = \frac{1}{2}h(b_1 + b_2)$

$b_1 = 10\ cm y\ b_2 = 18\ cm h = 14\ cm$

Entonces: $A = \frac{1}{2}(14)(10 + 18) = 196\ cm^2$

Cubos

- Un cubo es un objeto sólido tridimensional delimitado por seis lados cuadrados.
- El volumen es la medida de la cantidad de espacio dentro de una figura sólida, como un cubo, una bola, un cilindro o una pirámide.
- El volumen de un cubo = $(one\ side)^3$
- El área de superficie de un cubo = $6 \times (one\ side)^2$

Ejemplos:

Ejemplo 1. Encuentra el volumen y la superficie de este cubo.

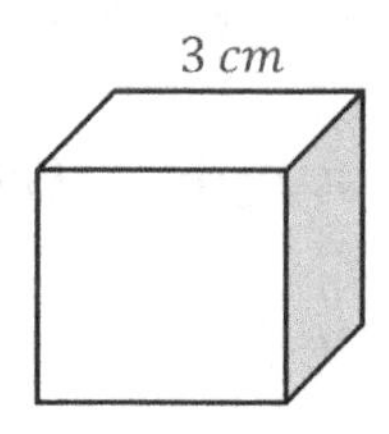

Solución: Utilice la fórmula de volumen: $volume = (one\ side)^3$
Entonces: $volume = (one\ side)^3 = (3)^3 = 27\ cm^3$
Utilice la fórmula de área de superficie:
$surface\ area\ of\ a\ cube$: $6(one\ side)^2 = 6(3)^2 = 6(9) = 54\ cm^2$

Ejemplo 2. Encuentra el volumen y la superficie de este cubo.

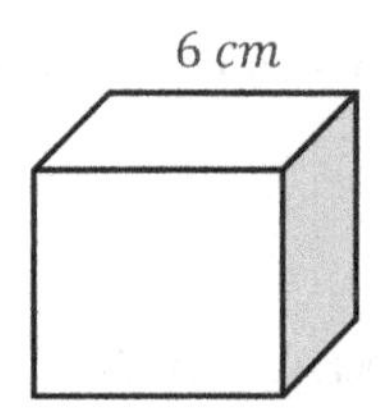

Solución: Utilice la fórmula de volumen: $volume = (one\ side)^3$
Entonces: $volume = (one\ side)^3 = (6)^3 = 216\ cm^3$
Utilice la fórmula de área de superficie:
$surface\ area\ of\ a\ cube$: $6(one\ side)^2 = 6(6)^2 = 6(36) = 216\ cm^2$

Ejemplo 3. Encuentra el volumen y la superficie de este cubo.

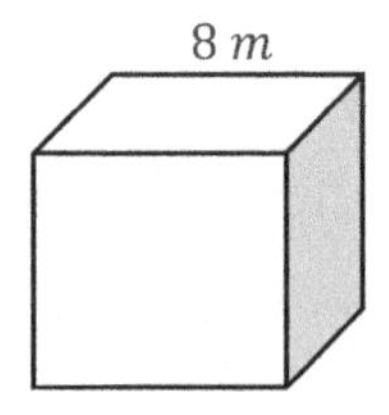

Solución: Utilice la fórmula de volumen: $volume = (one\ side)^3$
Entonces: $volume = (one\ side)^3 = (8)^3 = 512\ m^3$
Utilice la fórmula de área de superficie:
$surface\ area\ of\ a\ cube$: $6(one\ side)^2 = 6(8)^2 = 6(64) = 384\ m^2$

Prismas rectangulares

- Un prisma rectangular es un objeto sólido de 3 dimensiones con seis caras rectangulares.
- El volumen de un prisma rectangular = $Length \times Width \times Height$

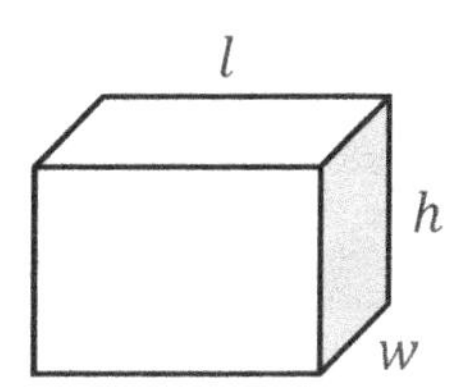

$Volume = l \times w \times h$
$Surface\ area = 2 \times (wh + lw + lh)$

Ejemplos:

Ejemplo 1. Encuentra el volumen y la superficie de este prisma rectangular.

7 m
9 m
5 m

Solución: Utilice la fórmula de volumen: $Volume = l \times w \times h$

Entonces: $Volume = 7 \times 5 \times 9 = 315\ m^3$

Utilice la fórmula de área de superficie: $Surface\ area = 2 \times (wh + lw + lh)$

Entonces: $Surface\ area = 2 \times \big((5 \times 9) + (7 \times 5) + (7 \times 9)\big)$

$$= 2 \times (45 + 35 + 63) = 2 \times (143) = 286\ m^2$$

Ejemplo 2. Encuentra el volumen y la superficie de este prisma rectangular.

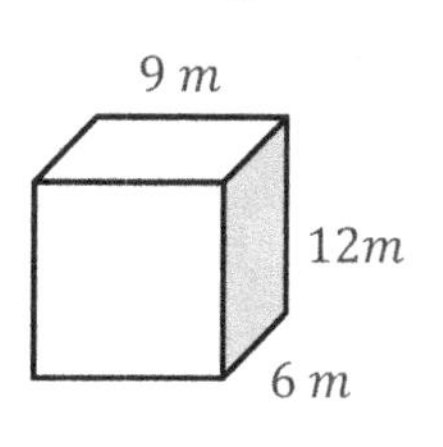

Solución: Utilice la fórmula de volumen: $Volume = l \times w \times h$

Entonces: $Volume = 9 \times 6 \times 12 = 648\ m^3$

Utilice la fórmula de área de superficie: $Surface\ area = 2 \times (wh + lw + lh)$

Entonces: $Surface\ area = 2 \times \big((6 \times 12) + (9 \times 6) + (9 \times 12)\big)$

$$= 2 \times (72 + 54 + 108) = 2 \times (234) = 468\ m^2$$

Cilindro

- Un cilindro es una figura geométrica sólida con lados paralelos rectos y una sección transversal circular u ovalada.
- $Volume\ of$ a $Cylinder = \pi(radius)^2 \times height$, $\pi \approx 3.14$
- $Surface\ area\ of\ a\ cylinder = 2\pi r^2 + 2\pi rh$

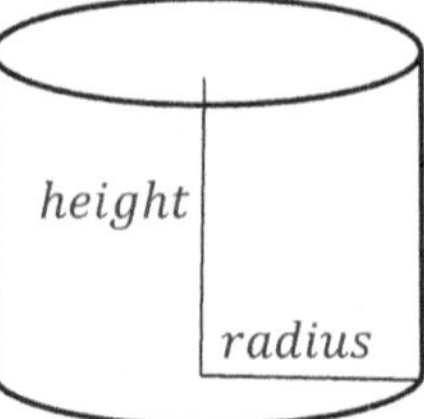

Ejemplos:

Ejemplo 1. Busque el volumen y el área de superficie del cilindro siguiente.

10 cm
4 cm

Solución: Utilice la fórmula de volumen:
$Volume = \pi(radius)^2 \times height$
Entonces: $Volume = \pi(4)^2 \times 10 = 16\pi \times 10 = 160\pi$
$\pi = 3.14$, a continuación: $Volume = 160\pi = 160 \times 3.14 = 502.4\ cm^3$
Utilice la fórmula de área de superficie: $Surface\ area = 2\pi r^2 + 2\pi rh$
Entonces: $2\pi(4)^2 + 2\pi(4)(10) = 2\pi(16) + 2\pi(40) = 32\pi + 80\pi = 112\pi$
$\pi = 3.14$, Entonces:$Surface\ area = 112 \times 3.14 = 351.68\ cm^2$

Ejemplo 2. Busque el volumen y el área de superficie del cilindro siguiente.

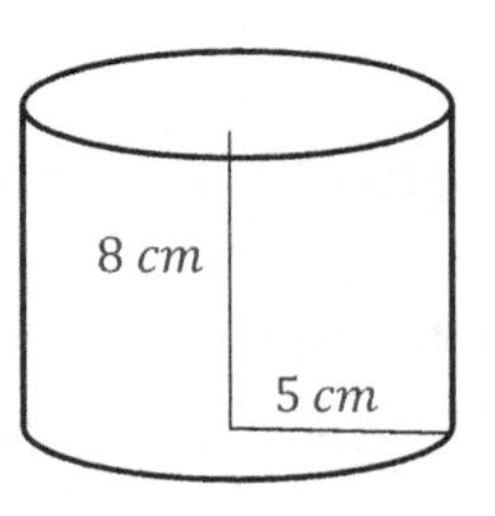

Solución: Utilice la fórmula de volumen:
$Volume = \pi(radius)^2 \times height$
Entonces: $Volume = \pi(5)^2 \times 8 = 25\pi \times 8 = 200\pi$
$\pi = 3.14$, Entonces: $Volume = 200\pi = 628\ cm^3$
Utilice la fórmula de área de superficie: $Surface\ area = 2\pi r^2 + 2\pi rh$
Entonces: $= 2\pi(5)^2 + 2\pi(5)(8) = 2\pi(25) + 2\pi(40) = 50\pi + 80\pi = 130\pi$
$\pi = 3.14$ entonces: $Surface\ area = 130 \times 3.14 = 408.2\ cm^2$

Capítulo 11: Prácticas

¿Encuentras el lado que falta?

1)

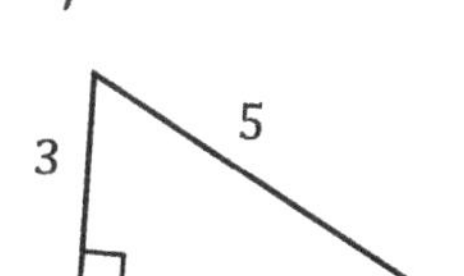

2)

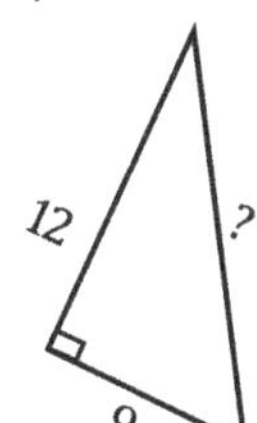

3)

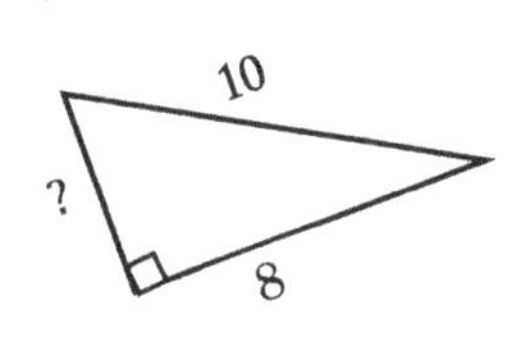

4)

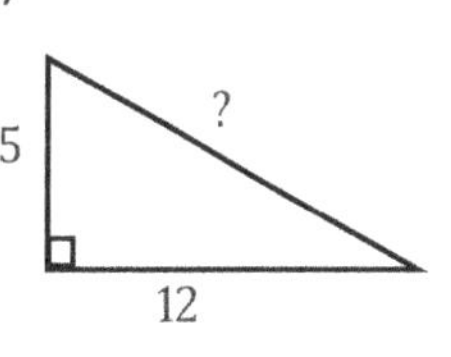

Encuentra la medida del ángulo desconocido en cada triángulo.

5)

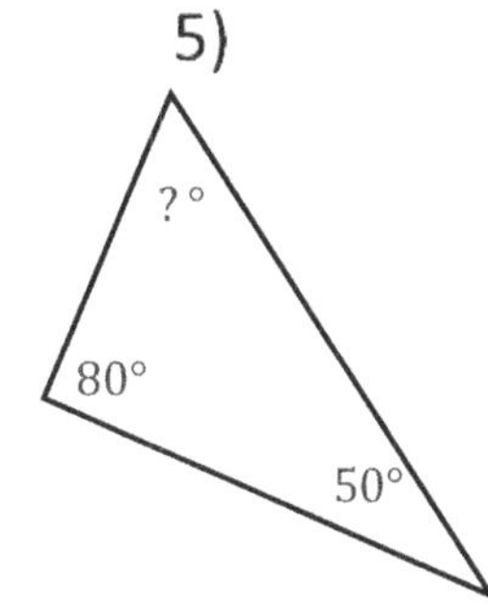

6)

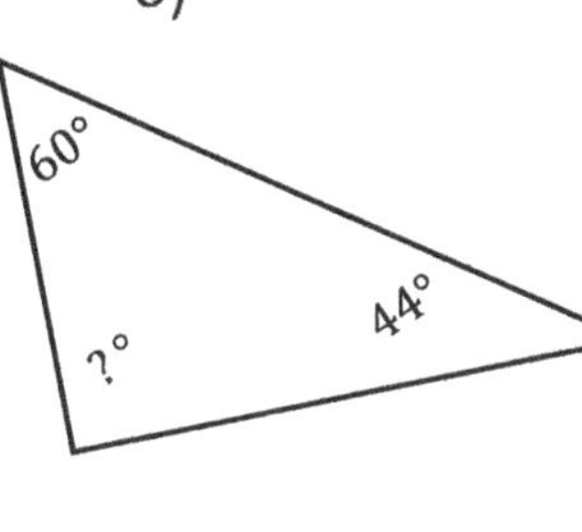

7)

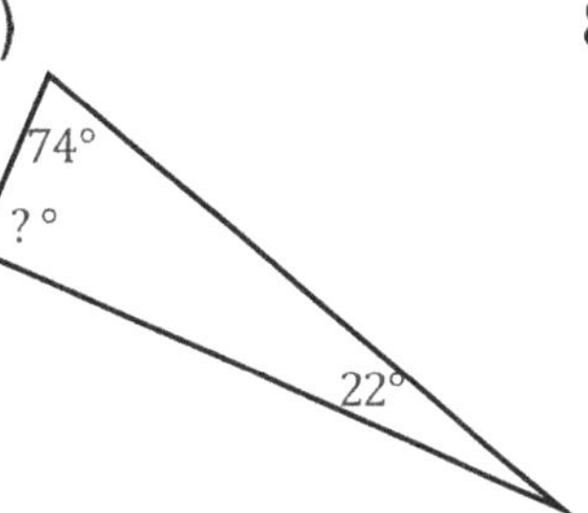

8)

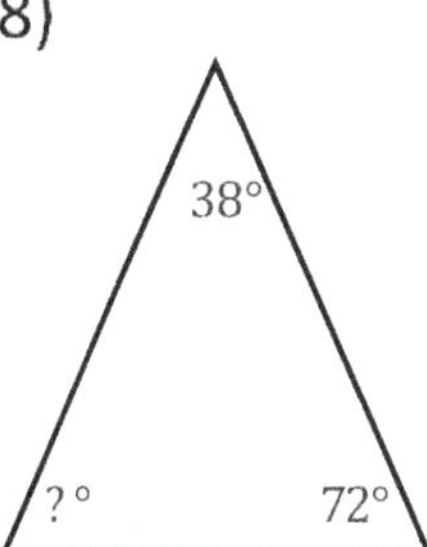

Encuentra el área de cada triángulo.

9)

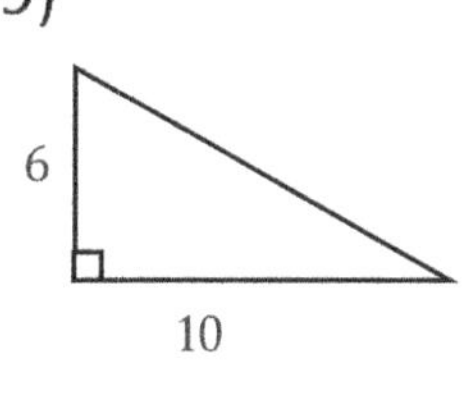

10)

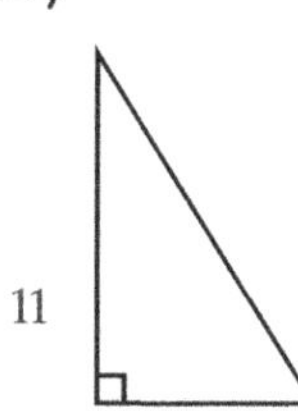

11)

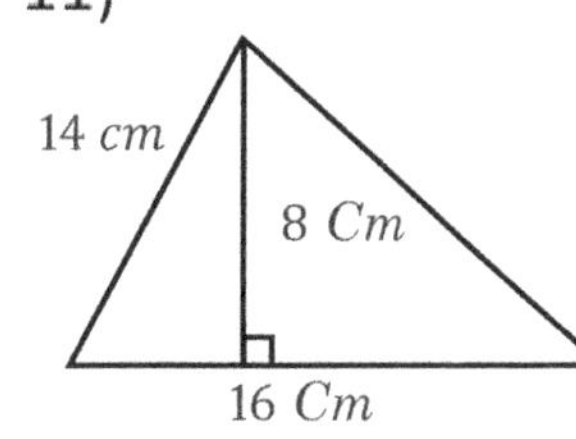

12)

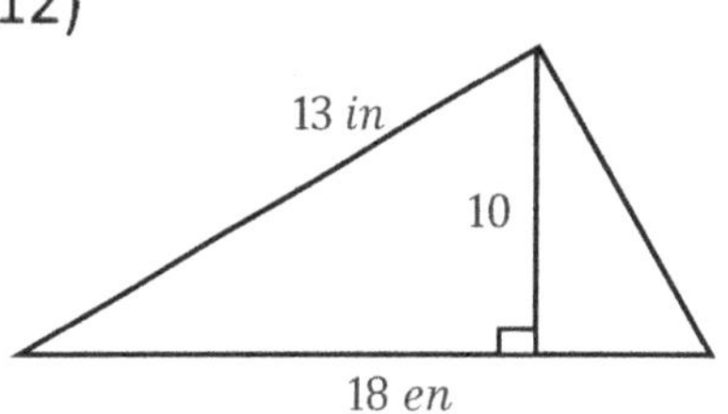

Encuentra el perímetro o la circunferencia de cada forma.

13)

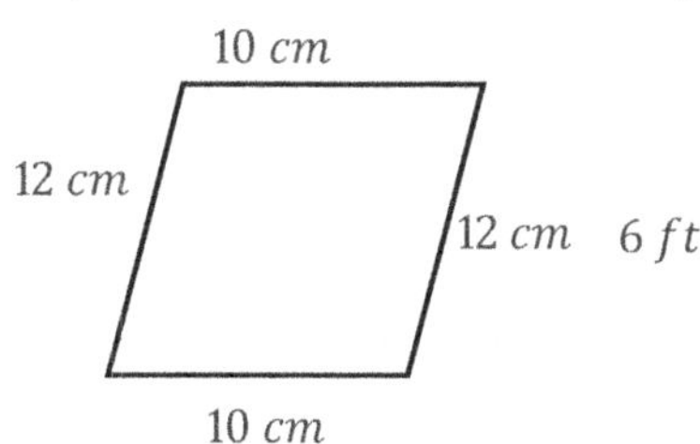

14)

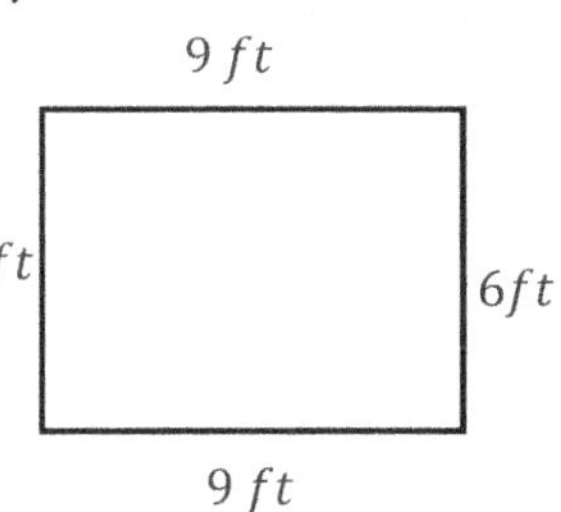

15)

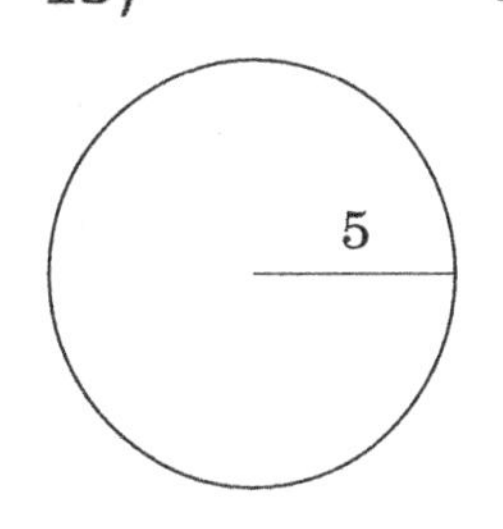

16) *hexágono regular*

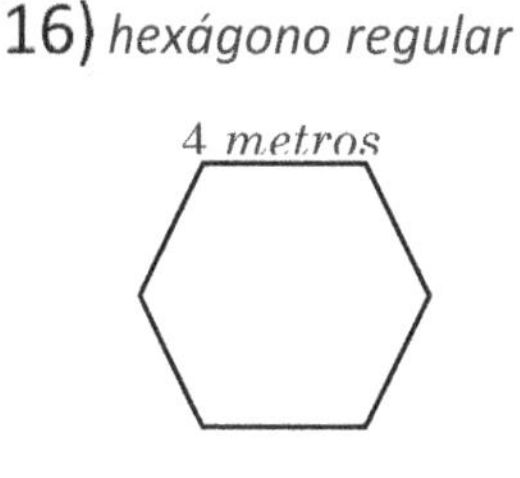

Encuentra el área de cada trapecio.

17) 18) 19) 20)

10 m, 7 m, 14 m

10 cm, 8 cm, 15 cm

8 ft, 6 ft, 13 ft

8 cm, 6 cm, 12 cm

Encuentra el volumen de cada cubo.

21) 22) 23) 24)

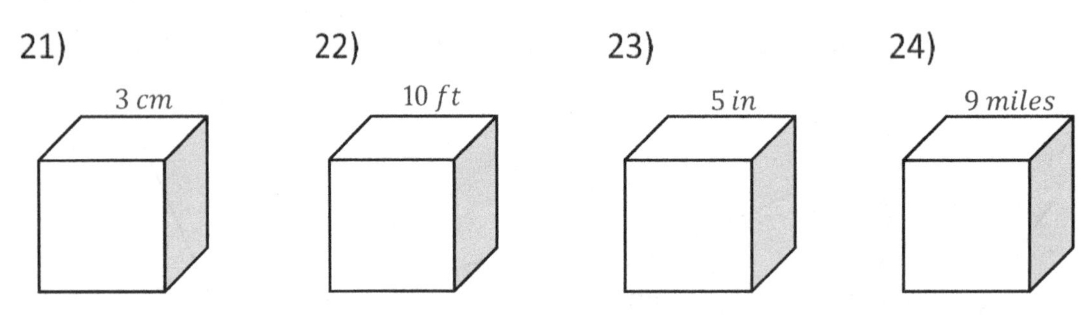

Encuentra el volumen de cada prisma rectangular.

25) 26) 27)

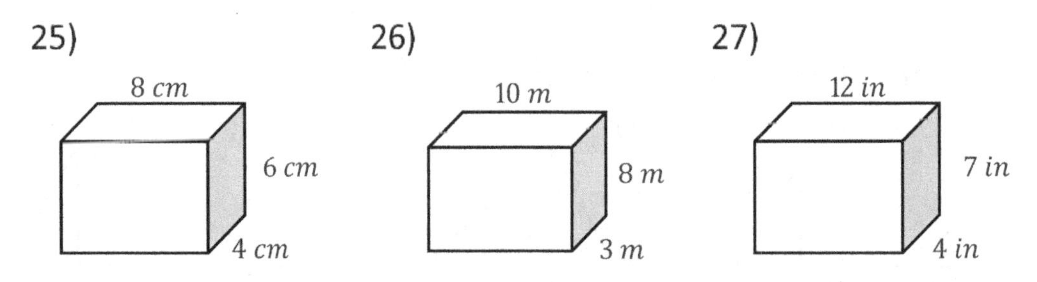

Encuentra el volumen de cada cilindro. Redondee su respuesta a la décima más cercana. $(\pi = 3.14)$

28) 29) 30)

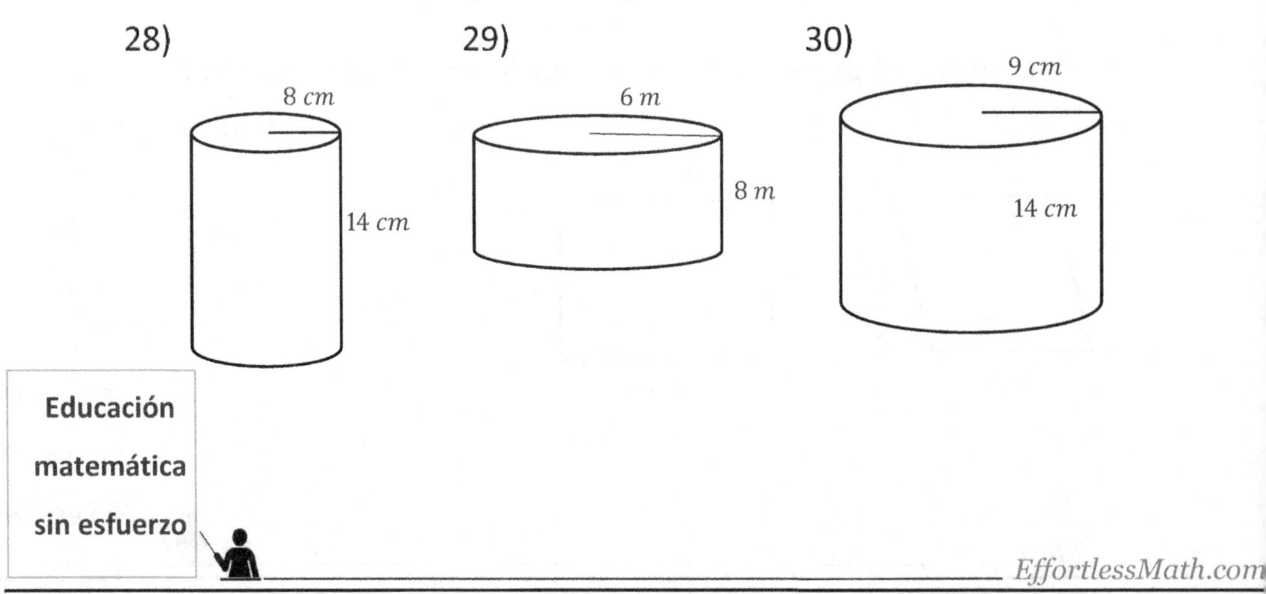

Capítulo 11: Respuestas

1) 4
2) 15
3) 6
4) 13
5) 50
6) 76
7) 84
8) 70
9) 30
10) 49.5
11) $64\ cm^2$
12) $90\ in^2$
13) $44\ cm$
14) $30\ ft$
15) $10\pi \approx 31.4\ in$
16) $24\ m$
17) $84\ m^2$
18) $100\ cm^2$
19) $63\ ft^2$
20) $60\ cm^2$
21) $27\ cm^3$
22) $1{,}000\ ft^3$
23) $125\ in^3$
24) $729\ mi^3$
25) $192\ cm^3$
26) $240\ m^3$
27) $336\ in^3$
28) $2{,}813.44\ cm^3$
29) $904.32\ m^3$
30) $3{,}560.76\ cm^3$

CAPÍTUL

12 Estadística

Temas matemáticos que aprenderás en este capítulo:

- ☑ Media, mediana, modo y rango de los datos dados
- ☑ Gráfico circular
- ☑ Problemas de probabilidad
- ☑ Permutaciones y combinaciones

Media, mediana, modo y rango de los datos dados

- **Significar:** $\frac{sum\ of\ the\ data}{total\ number\ of\ data\ entires}$
- **Modo:** el valor de la lista que aparece con más frecuencia
- **Mediana:** es el número medio de un grupo de números dispuestos en orden por tamaño.
- **Rango:** la diferencia entre el valor más grande y el valor más pequeño de la lista

Ejemplos:

Ejemplo 1. ¿Cuál es el modo de estos números? $5, 6, 8, 6, 8, 5, 3, 5$

Solución: Modo: el valor de la lista que aparece con más frecuencia.
Por lo tanto, el modo es el número. Hay tres números en los datos.55

Ejemplo 2. ¿Cuál es la mediana de estos números? $6, 11, 15, 10, 17, 20, 7$

Solución: Escriba los números en orden: $6, 7, 10, 11, 15, 17, 20$
La mediana es el número en el medio. Por lo tanto, la mediana es .11

Ejemplo 3.¿Cuál es la media de estos números? $7, 2, 3, 2, 4, 8, 7, 5$

Solución: Media: $\frac{sum\ of\ the\ data}{total\ number\ of\ data\ entires} = \frac{7+2+3+2+4+8+7+5}{8} = \frac{38}{8} = 4.75$

Ejemplo 4. ¿Cuál es el rango en esta lista? $3, 7, 12, 6, 15, 20, 8$

Solución: El rango es la diferencia entre el valor más grande y el valor más pequeño de la lista. El valor más grande es 20 y el valor más pequeño es 3.
Entonces: $20 - 3 = 17$

Gráfico circular

- Un gráfico circular (Gráfico circular) es un gráfico circular dividido en sectores, cada sector representa el tamaño relativo de cada valor.
- Los gráficos circulares representan una instantánea de cómo se divide un grupo en partes más pequeñas.

Ejemplo:

Una biblioteca tiene 750 libros que incluyen Matemáticas, Física, Química, Inglés e Historia. Utilice el siguiente gráfico para responder a las preguntas.

Historia 12%
Matemáticas 28%
Inglés 13%
Química 22%
Física 25%

Ejemplo 1. ¿Cuál es el número de libros de Matemáticas?

Solución: Número total de libros = 750
Porcentaje de libros de matemáticas = 28%
Luego, el número de libros de Matemáticas: $28\% \times 750 = 0.28 \times 750 = 210$

Ejemplo 2. ¿Cuál es el número de libros de Historia?

Solución: Número total de libros = 750
Porcentaje de libros de Historia = 12%
Entonces: $0.12 \times 750 = 90$

Ejemplo 3. ¿Cuál es el número de libros de Química en la biblioteca?

Solución: Número total de libros = 750
Porcentaje de libros de Química = 22%
Entonces: $0.22 \times 750 = 165$

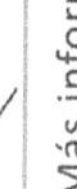

Problemas de probabilidad

- La probabilidad es la probabilidad de que algo suceda en el futuro. Se expresa como un número entre cero (nunca puede suceder) a 1 (siempre sucederá).
- La probabilidad se puede expresar como una fracción, un decimal o un porcentaje.
- Fórmula de probabilidad: $Probability = \frac{number\ of\ desired\ outcomes}{number\ of\ total\ outcomes}$

Ejemplos:

Ejemplo1. La bolsa de truco o trato de Anita contiene trozos de chocolate, retoños, trozos de chicle, trozos de regaliz. Si saca al azar un caramelo de su bolso, ¿cuál es la probabilidad de que saque un pedazo de chupón?10161622

Solución: $\text{Probability} = \frac{number\ of\ desired\ outcomes}{\text{number of total outcomes}}$

$$\text{Probability of pulling out a piece of sucker} = \frac{16}{10+16+16+22} = \frac{16}{64} = \frac{1}{4}$$

Example 2. Una bolsa contiene bolas: cuatro verdes, cinco negras, ocho azules, una marrón, una roja y una blanca. Si las bolas se retiran de la bolsa al azar, ¿cuál es la probabilidad de que se haya eliminado una bola marrón?2019

Solución: Si 19 las bolas se retiran de la bolsa al azar, habrá una bola en la bolsa. La probabilidad de elegir una bola marrón es 1 de 20. Por lo tanto, la probabilidad de no elegir una bola marrón es 19 de 20 y la probabilidad de no tener una bola marrón afhave Quitar 19 bolas es lo mismo. La respuesta es: $\frac{19}{20}$

Permutaciones y combinaciones

Las factoriales son productos, indicados por un signo de exclamación. Por ejemplo, $4! = 4 \times 3 \times 2 \times 1$ (¡Recuerde que 0! se define como igual a 1)

- **Permutaciones:** El número de formas de elegir una muestra de elementos de un conjunto de objetos distintos donde el orden knsí importa, y no se permiten reemplazos. Para un problema de permutación, utilice esta fórmula:

$$\text{nPk} = \frac{n!}{(n-k)!}$$

- **Combinación:** El número de formas de elegir una muestra de elementos de un conjunto de objetos distintos donde el orden no importa y no se permiten reemplazos. Para un problema de combinación, utilice esta fórmula: rn

$$\text{nCr} = \frac{n!}{r!\,(n-r)!}$$

Ejemplos:

Example 1. ¿De cuántas maneras se puede otorgar el primer y segundo lugar a 7 las personas?

Solución: Dado que el orden importa, (¡el primer y segundo lugar son diferentes!) necesitamos usar la fórmula de permutación donde n es 7 y es 2. Luego: $k\frac{n!}{(n-k)!} = \frac{7!}{(7-2)!} = \frac{7!}{5!} = \frac{7\times6\times5!}{5!}$ retire de ambos lados de la fracción. Entonces: $5!\frac{7\times6\times5!}{5!} = 7 \times 6 = 42$

Example 2. ¿De cuántas maneras podemos elegir un equipo 3 de personas de un grupo de 8?

Solución: Dado que el orden no importa, necesitamos usar una fórmula de combinación donde es 8 y es 3.
Entonces: $\frac{n!}{r!\,(n-r)!} = \frac{8!}{3!\,(8-3)!} = \frac{8!}{3!\,(5)!} = \frac{8\times7\times6\times5!}{3!\,(5)!} = \frac{8\times7\times6}{3\times2\times1} = \frac{336}{6} = 56$

Más información en bit.ly/34BQgUY

Capítulo 12: Prácticas

Busque los valores de los datos dados.

1) 6, 11, 5, 3, 6

Modo: _____Gama: _____

Media: _____Median: _____

2) 4, 9, 1, 9, 6, 7

Modo: _____Gama: _____

Media: _____Median: _____

3) 10, 3, 6, 10, 4, 15

Modo: _____Gama: _____

Media: _____Median: _____

4) 12, 4, 8, 9, 3, 12, 15

Modo: _____Gama: _____

Media: _____Median: _____

El gráfico circular a continuación muestra todos los gastos de Bob para el mes pasado. Bob gastó $ 790 en su alquiler el mes pasado.

5) ¿Cuánto costaron los gastos totales de Bob el mes pasado? ________

6) ¿Cuánto gastó Bob en alimentos el mes pasado? ________

7) ¿Cuánto gastó Bob en sus facturas el mes pasado? ________

8) ¿Cuánto gastó Bob en su auto el mes pasado? ________

Resolver.

9) La bolsa A contiene 8 canicas rojas y 6 canicas verdes. La bolsa B contiene 5 canicas negras y 7 canicas naranjas. ¿Cuál es la probabilidad de seleccionar una canica verde al azar de la bolsa A? ¿Cuál es la probabilidad de seleccionar una canica negra al azar de la bolsa B?

Resolver.

10) Susan está horneando galletas. Ella usa azúcar, harina, mantequilla y huevos. ¿Cuántos pedidos diferentes de ingredientes puede probar? ______________

11) Jason está planeando sus vacaciones. Quiere ir al museo, ir a la playa y jugar al voleibol. ¿Cuántas formas diferentes de ordenar hay para él? ______________

12) ¿De cuántas maneras puede un equipo de 6 jugadores de baloncesto elegir un capitán y un ? ______________

13) ¿De cuántas maneras puedes dar 5 bolas a tus 8 amigos? ______________

14) Un professor va a organizar a sus 5 estudiantes en línea recta. ¿De cuántas maneras puede hacer esto? ______________

15) ¿De cuántas maneras puede un profesor elegir a 12 de cada 15 estudiantes? ______________

Capítulo 12: Respuestas

1) Modo: Rango: Media: Mediana: 686.26

2) Modo: Rango: Media: Mediana: 9866.5

3) Modo: Rango: Media: Mediana: 101288

4) Modo: Rango: Media: Mediana: 121299

5) $1,975

6) $158

7) $730.75

8) $197.50

9) $\frac{3}{7}, \frac{5}{12}$

10) 24

11) 6

12) 30 (es un problema de permutación)

13) 56 (es un problema de combinación)

14) 120

15) 455 (es un problema de combinación)

CAPÍTUL

13 Diversiónctions Operaciones

Temas matemáticos que aprenderás en este capítulo:

- ☑ Notación y evaluación de funciones
- ☑ Sumar y restar funciones
- ☑ Multiplicar y dividir funciones
- ☑ Composición de funciones

Notación y evaluación de funciones

- Las funciones son operaciones matemáticas que asignan salidas únicas a entradas dadas.
- La notación de función es la forma en que se escribe una función. Está destinado a ser una forma precisa de dar información sobre la función sin una explicación escrita bastante larga.
- La notación de función más popular es $f(x)$ la que se lee "f de x". Cualquier letra puede nombrar una función. por ejemplo: $g(x), h(x)$, etc.
- Para evaluar una función, conecte la entrada (el valor o expresión dados) para la variable de la función (marcador de posición,x).

Ejemplos:

Ejemplo 1. Evaluar: $f(x) = x + 6$, encontrar $f(2)$

Solución: Sustituir x por 2:
Entonces: $f(x) = x + 6 \rightarrow f(2) = 2 + 6 \rightarrow f(2) = 8$

Ejemplo 2. Evaluar: $w(x) = 3x - 1$, encontrar $w(4)$.

Solución: Sustituir x por 4:
Entonces: $w(x) = 3x - 1 \rightarrow w(4) = 3(4) - 1 = 12 - 1 = 11$

Ejemplo 3. Evaluar: $f(x) = 2x^2 + 4$, encontrar $f(-1)$.

Solución: Sustituir x por -1:
Entonces: $f(x) = 2x^2 + 4 \rightarrow f(-1) = 2(-1)^2 + 4 \rightarrow f(-1) = 2 + 4 = 6$

Ejemplo 4. Evaluar: $h(x) = 4x^2 - 9$ encontrar $h(2a)$.

Solución: Sustituir x por $2a$:
Entonces: $h(x) = 4x^2 - 9 \rightarrow h(2a) = 4(2a)^2 - 9 \rightarrow h(2a) = 4(4a^2) - 9 = 16a^2 - 9$

Sumar y restar funciones

- Al igual que podemos sumar y restar números y expresiones, podemos sumar o restar funciones y simplificarlas o evaluarlas. El resultado es una nueva función.
- Para dos funciones $f(x)$ y $g(x)$, podemos crear dos nuevas funciones:

$$(f+g)(x) = f(x) + g(x) \text{ y } (f-g)(x) = f(x) - g(x)$$

Ejemplos:

Ejemplo 1. $g(x) = 2x - 2$Encontrar: $f(x) = x + 1(g + f)(x)$

Solución: $(g+f)(x) = g(x) + f(x)$
Entonces: $(g+f)(x) = (2x-2) + (x+1) = 2x - 2 + x + 1 = 3x - 1$

Ejemplo 2. $f(x) = 4x - 3$Encontrar: $g(x) = 2x - 4(f - g)(x)$

Solución: $(f-g)(x) = f(x) - g(x)$
Entonces: $(f-g)(x) = (4x-3) - (2x-4) = 4x - 3 - 2x + 4 = 2x + 1$

Ejemplo 3. $g(x) = x^2 + 2$Encontrar: $f(x) = x + 5(g + f)(x)$

Solución: $(g+f)(x) = g(x) + f(x)$
Entonces: $(g+f)(x) = (x^2+2) + (x+5) = x^2 + x + 7$

Ejemplo 4. $f(x) = 5x^2 - 3$Encontrar: $g(x) = 3x + 6(f - g)(3)$

Solución: $(f-g)(x) = f(x) - g(x)$
Entonces: $(f-g)(x) = (5x^2-3) - (3x+6) = 5x^2 - 3 - 3x - 6 = 5x^2 - 3x - 9$
Sustituto x con 3: $(f-g)(3) = 5(3)^2 - 3(3) - 9 = 45 - 9 - 9 = 27$

Multiplicar y dividir funciones

- Al igual que podemos multiplicar y dividir números y expresiones, podemos multiplicar y dividir dos funciones y simplificarlas o evaluarlas.
- Para dos funciones $f(x)$ y $g(x)$, podemos crear dos nuevas funciones:

$$(f.g)(x) = f(x).g(x) \text{ y } \left(\frac{f}{g}\right)(x) = \frac{f(x)}{g(x)}$$

Ejemplos:

Ejemplo 1. $g(x) = x + 3$Encontrar: $f(x) = x + 4(g.f)(x)$

Solución:

$$(g.f)(x) = g(x).f(x) = (x+3)(x+4) = x^2 + 4x + 3x + 12 = x^2 + 7x + 12$$

Ejemplo 2. $f(x) = x + 6$Encontrar: $h(x) = x - 9\left(\frac{f}{h}\right)(x)$

Solución: $\left(\frac{f}{h}\right)(x) = \frac{f(x)}{h(x)} = \frac{x+6}{x-9}$

Ejemplo 3. $g(x) = x + 7$Encontrar: $f(x) = x - 3(g.f)(2)$

Solución:$(g.f)(x) = g(x).f(x) = (x+7)(x-3) = x^2 - 3x + 7x - 21$

$$g(x).f(x) = x^2 + 4x - 21$$

Sustitúyase por: $x2(g.f)(x) = (2)^2 + 4(2) - 21 = 4 + 8 - 21 = -9$

Ejemplo 4. $f(x) = x + 3$Encontrar: $h(x) = 2x - 4\left(\frac{f}{h}\right)(3)$

Solución: $\left(\frac{f}{h}\right)(x) = \frac{f(x)}{h(x)} = \frac{x+3}{2x-4}$

Sustituto x con 3: $\left(\frac{f}{h}\right)(x) = \frac{x+3}{2x-4} = \frac{3+3}{2(3)-4} = \frac{6}{2} = 3$

Más información en bit.ly/3ph7kHA

Composición de funciones

- "Composición de funciones" simplemente significa combinar dos o más funciones de una manera en la que la salida de una función se convierte en la entrada para la siguiente función.
- La notación utilizada para la composición es: y se lee $(fog)(x) = f(g(x))$

  " f compuesto con g de x " o " f de g de x ".

Ejemplos:

Ejemplo 1. Usando y, encontrar$f(x) = 2x + 3$ $g(x) = 5x$: $(fog)(x)$

Solución: Entonces: $(fog)(x) = f(g(x))(fog)(x) = f(g(x)) = f(5x)$

Ahora encuentra sustituyendo con en función. $f(5x)x5xf(x)$

Entonces: $f(x) = 2x + 3$; $(x \to 5x) \to f(5x) = 2(5x) + 3 = 10x + 3$

Ejemplo2. Usando y, encontrar:$f(x) = 3x - 1$ $g(x) = 2x - 2$ $(gof)(5)$

Solución: Entonces:$(fog)(x) = f(g(x))(gof)(x) = g(f(x)) = g(3x - 1)$

Ahora $xg(x)$ *sustitúyalo por*$(3x - 1)$.

Entonces: $g(3x - 1) = 2(3x - 1) - 2 = 6x - 2 - 2 = 6x - 4$

Sustitúyase por: $x5(gof)(5) = g(f(x)) = 6x - 4 = 6(5) - 4 = 26$

Ejemplo 3. Usando y$f(x) = 2x^2 - 5$ $g(x) = x + 3$, encontrar:$f(g(3))$

Solución: Primero, encuentre: $g(3)g(x) = x + 3 \to g(3) = 3 + 3 = 6$

Entonces: $f(g(3)) = f(6)$. Ahora, encuentra $f(6)$ sustituyendo x con 6 en $f(x)$ función. $f(g(3)) = f(6) = 2(6)^2 - 5 = 2(36) - 5 = 67$

Capítulo 13: Prácticas

Evalúe cada función.

1) $g(n) = 2n + 5$,encontrar $g(2)$_____
2) $h(x) = 5x - 9$encontrar $h(4)$_____
3) $k(n) = 10 - 6n$ encontrar $k(2)$ _____
4) $g(x) = -5x + 6$, encontrar $g(-2)$ _____
5) $k(n) = -8n + 3$encontrar $k(-6)$_____
6) $w(n) = -2n - 9$encontrar $w(-5)$

Realizar la operación indicada.

7) $f(x) = x + 6$
   $g(x) = 3x + 2$
   Encontrar $(f - g)(x)$
   _____
8) $g(x) = x - 9$
   $f(x) = 2x - 1$
   Encontrar $(g - f)(x)$
   _____
9) $h(t) = 5t + 6$
   $g(t) = 2t + 4$
   Encontrar$(h + g)(x)$
   _____
10) $g(a) = -6a + 1$
   $f(a) = 3a^2 - 3$
   Encontrar $(g + f)(5)$
   _____
11) $g(x) = 7x - 1$
   $h(x) = -4x^2 + 2$
   Encontrar $(g - h)(-3)$
   _____
12) $h(x) = -x^2 - 1$
   $g(x) = -7x - 1$
   Encontrar$(hg)(-5)$
   _____

Realizar la operación indicada.

13) $g(x) = x + 3$

$f(x) = x + 1$

Find $(g.f)(x)$

_____

14) $f(x) = 4x$

$h(x) = x - 6$

Find $(f.h)(x)$

_____

15) $g(a) = a - 8$

$h(a) = 4a - 2$

Find $(g.h)(3)$

_____

16) $f(x) = 6x + 2$

$h(x) = 5x - 1$

Find $\left(\frac{f}{h}\right)(-2)$

_____

17) $f(x) = 7a - 1$

$g(x) = -5 - 2a$

Find $\left(\frac{f}{g}\right)(-4)$

_____

18) $g(a) = a^2 - 4$

$f(a) = a + 6$

Find $\left(\frac{g}{f}\right)(-3)$

_____

Usando $f(x) = 4x + 3$ y $g(x) = x - 7$encontrar:

19) $g(f(2)) =$_____

20) $g(f(-2)) =$_____

21) $f(g(4)) =$_____

22) $f(f(7)) =$_____

23) $g(f(5)) =$_____

24) $g(f(-5)) =$_____

25) $g(f(7)) =$ ____

26) $g(f(-3)) =$ ____

27) $f(g(-6)) =$ _

Capítulo 13: Respuestas

1) 9
2) 11
3) -2
4) 16
5) 51
6) 1
7) $-2x + 4$
8) $-x - 8$
9) $7t + 10$
10) 43
11) 12
12) -60
13) $x^2 + 4x + 3$
14) $4x^2 - 24x$
15) -50
16) $\frac{10}{11}$
17) $-\frac{29}{3}$
18) $\frac{5}{3}$
19) 4
20) -12
21) -9
22) 127
23) 16
24) -24
25) 24
26) -16
27) -49

Pruebas de práctica de matemáticas GED

Es hora de refinar su habilidad con un examen de práctica
Tome una prueba de matemáticas GED de práctica para simular la experiencia del día del examen. Una vez que haya terminado, califique su prueba con la clave de respuesta.

Antes de empezar

- Necesitarás un lápiz y una calculadora para tomar la prueba.
- Hay dos tipos de preguntas:

  Preguntas de opción múltiple: para cada una de estas preguntas, hay cuatro o más respuestas posibles. Elige cuál es el mejor.

  Preguntas de cuadrícula: para estas preguntas, escriba su respuesta en el cuadro provisto.
- Está bien adivinar. No perderás ningún punto si te equivocas.
- La prueba de razonamiento matemático GED contiene una hoja de fórmulas, que muestra fórmulas relacionadas con la medición geométrica y ciertos conceptos de álgebra. Se proporcionan fórmulas a los examinados para que puedan centrarse en la aplicación, en lugar de la memorización, de fórmulas.
- Una vez que haya terminado la prueba, revise la clave de respuesta para ver dónde se equivocó y qué áreas necesita mejorar.

¡Buena suerte!

GED Prueba de Práctica de Razonamiento Matemático 1

Año 2022

Dos partes

Número total de preguntas: 46

Parte 1 (No calculadora): 5 preguntas

Parte 2 (Calculadora): 41 preguntas

Tiempo total para las dos partes: 115 minutos

Hoja de fórmulas matemáticas de GED

Área de a:

Paralelogramo	$A = bh$
Trapezoide	$A = \frac{1}{2}h(b_1 + b_2)$

Superficie y volumen de a:

Prisma rectangular/derecho	$SA = ph + 2B$	$V = Bh$
Cilindro	$SA = 2\pi rh + 2\pi r^2$	$V = \pi r^2 h$
Pirámide	$SA = \frac{1}{2}ps + B$	$V = \frac{1}{3}Bh$
Cono	$SA = \pi r + \pi r^2$	$V = \frac{1}{3}\pi r^2 h$
Esfera	$SA = 4\pi r^2$	$V = \frac{4}{3}\pi r^3$
	($p =$ perimeter of base B; $\pi = 3.14$)	

Álgebra

Pendiente de una línea	$m = \frac{y_2 - y_1}{x_2 - x_1}$
Forma de intersección de pendiente de la ecuación de una recta	$y = mx + b$
Forma punto-pendiente de la ecuación de una recta	$y - y_1 = m(x - x_1)$
Forma estándar de una ecuación cuadrática	$y = ax^2 + bx + c$
Fórmula cuadrática	$x = \frac{-b \pm \sqrt{b^2 - 4ac}}{2a}$
Teorema	$a^2 + b^2 = c^2$
Interés simple	$I = prt$ (I= interés, p = principal, r = tasa, t = tiempo)

GED Práctica de Razonamiento Matemático Prueba 1 Parte 1 (No Calculadora)

5 preguntas

Tiempo total para dos partes (partes que no son calculadoras y calculadoras): 115 minutos

NO puede usar una calculadora en esta parte.

1) ¿Cuál de las siguientes opciones es la misma qué 0.000 000 000 000 042 121

☐ A. 4.2121×10^{14} ☐ B. 4.2121×10^{-14}
☐ C. $42{,}121 \times 10^{-10}$ ☐ D. 42.121×10^{-13}

2) 5 menos del doble de un entero positivo es 83. ¿Qué es el entero?

☐ A. 39 ☐ B. 41
☒ C. 42 ☐ D. 44

3) Una camisa que cuesta $ 200 tiene un descuento del 15%. Después de un mes, la camisa tiene otro descuento del 15%. ¿Cuál de las siguientes expresiones se puede utilizar para encontrar el precio de venta de la camisa?

☐ A. $(200)(0.70)$ ☐ B. $((200) - 200(0.30)$
☐ C. $(200)(0.15) - (200)(0.15)$ ☐ D. $(200)(0.85)(0.85)$

4) Cuál de los siguientes puntos se encuentra en la línea $2x + 4y = 10$

☐ A. $(2,1)$ ☐ B. $(-1,3)$
☐ C. $(-2,2)$ ☐ D. $(2,2)$

5) ¿Cuál es el valor de la expresión? $5 + 8 \times (-2) - [4 + 22 \times 5] \div 6$

Escriba su respuesta en el cuadro de abajo.

GED Práctica de Razonamiento Matemático Prueba 1 Parte 2 (Calculadora)

41 preguntas
Tiempo total para dos partes (partes que no son calculadoras y calculadoras): 115 minutos

Puede usar una calculadora en esta parte.

6) Un estudiante obtiene un 85% en una prueba con 40 preguntas. ¿Cuántas respuestas resolvió correctamente el estudiante?

☐ A. 25 ☐ B. 28
☐ C. 34 ☐ D. 36

7) El ancho de una caja es un tercio de su longitud. La altura de la caja es un tercio de su ancho. Si la longitud de la caja es, ¿cuál es el volumen de la caja?27 cm

☐ A. 81 cm^3 ☐ B. 162 cm^3
☐ C. 243cm^3 ☐ D. 729 cm^3

8) Si de A es de B, 60%30%entonces B es ¿qué porcentaje de A?

☐ A. 3% ☐ B. 30%
☐ C. 200% ☐ D. 300%

9) ¿Cuántas combinaciones de atuendos posibles provienen de seis camisas, tres pantalones y cinco corbatas?

Escriba su respuesta en el cuadro de abajo.

10) Una escalera se apoya contra una pared formando un ángulo entre el suelo y la escalera. Si la parte inferior de la escalera está a pies de distancia de la pared, ¿cuánto dura la escalera?60°30

☐ A. 30 $feet$ ☐ B. 40 $feet$
☐ C. 50 $feet$ ☐ D. 60 $feet$

11) Cuando se resta un número y la diferencia se divide por ese número, el resultado es. ¿Cuál es el valor del número?243

☐ A. 2 ☐ B. 4
☐ C. 6 ☐ D. 12

12) Un ángulo es igual a una quinta parte de su suplemento. ¿Cuál es la medida de ese ángulo en grados?

☐ A. 20° ☐ B. 30°
☐ C. 45° ☐ D. 60°

13) John viajó en horas y Alice viajó en horas. ¿Cuál es la relación entre la velocidad promedio de Juan y la velocidad promedio de Alicia? 150 km6180 km4

☐ A. 3 : 2 ☐ B. 2 : 3
☐ C. 5 : 9 ☐ D. 5 : 6

14) Si de una clase son niñas, y de niñas juegan al tenis, ¿qué porcentaje de la clase juega al tenis?40% 25%

☐ A. 10% ☐ B. 15%
☐ C. 20% ☐ D. 40%

15) ¿Cuál es el valor de en el siguiente $y$sistema de ecuaciones?

$$3x - 4y = -40$$
$$-x + 2y = 10$$

Escriba su respuesta en el cuadro de abajo.

16) En cinco horas sucesivas, un coche viaja y. En las próximas cinco horas, viaja con una velocidad media de . Encuentre la distancia total que recorrió el automóvil en horas. 40 km, 45 km, 50 km, 35 km55 km50 km per $hour$10

☐ A. 425 km ☐ B. 450 km
☐ C. 475 km ☐ D. 500 km

17) ¿Cuánto tiempo toma un viaje de millas moviéndose a millas por hora??420- 50(mph

☐ A. 4 *hours* ☐ B. 6 *hours and* 24 *minutes*
☐ C. 8 *hours and* 24 *minutes* ☐ D. 8 *hours and* 30 *minutes*

18) En una bolsa solo hay canicas rojas y canicas azules. La proporción de mármoles rojos a mármoles azules e. ¿Cuál de los siguientes podría ser el número total de canicas en la bolsa? (Seleccione una o más opciones de respuesta)2: 5

☐ A. 324 ☐ B. 688
☐ C. 826 ☐ D. 596

19)¿Cuál de los siguientes puntos se encuentra en la línea $3x + 2y = 11$? (Seleccione una o más opciones de respuesta)

☐ A. $(-1,3)$ ☐ B. $(2,3)$
☐ C. $(-1,7)$ ☐ D. $(5,-2)$

20)El triángulo rectángulo ABC tiene dos patas de longitud (AB) y (AC). ¿Cuál es la longitud del tercer lado (BC)?6 cm8 cm

☐ A. 4 cm ☐ B. 6 cm
☐ C. 8 cm ☐ D. 10 cm

21)La proporción de niños y niñas en una escuela es . Si hay estudiantes en una escuela, cuántos niños hay en la escuela. 2: 3 600

Escriba su respuesta en el cuadro de abajo.

22)25 es ¿Qué porcentaje de? 20

☐ A. 20% ☐ B. 25%
☐ C. 125% ☐ D. 150%

23)El perímetro del trapecio de abajo es 54. ¿Cuál es su área?

Escriba su respuesta en el cuadro de abajo.

18
12
14

24) ¿Dos tercios de es igual a qué número?$18\frac{2}{5}$

☐ A. 12 ☐ B. 20
☐ C. 30 ☐ D. 60

25) El precio marcado de una computadora es el dólar. Su precio disminuyó en enero y luego aumentó en febrero. ¿Cuál es el precio final de la computadora en D dólar?D20%10%

☐ A. 0.80 D ☐ B. 0.88 D
☐ C. 0.90 D ☐ D. 1.20 D

26) El área de un círculo es. ¿Cuál es la circunferencia del círculo?64 π

☐ A. 8 π ☐ B. 16 π
☐ C. 32 π ☐ D. 64 π

27) ¿Una camisa que ahora se vende tiene un descuento de qué porcentaje?$40$28

☐ A. 20% ☐ B. 30%
☐ C. 40% ☐ D. 60%

28) En el promedio, el ingreso del trabajador aumentó por año a partir del salario anual. ¿Qué ecuación representa un ingreso mayor que el promedio? (= ingresos, = número de años después)1999, $2,000$24,000Ix1999

☐ A. $I > 2{,}000\, x + 24{,}000$ ☐ B. $I > -2{,}000\, x + 24{,}000$
☐ C. $I < -2000\, x + 24{,}000$ ☐ D. $I < 2{,}000\, x - 24{,}000$

29) Desde el año pasado, el precio de la gasolina ha aumentado de por galón a por galón. ¿El nuevo precio es qué porcentaje del precio original?$1.25$1.75

☐ A. 72% ☐ B. 120%
☐ C. 140% ☐ D. 160%

30) Un barco navega millas al sur y luego millas al este. ¿A qué distancia está el barco de su punto de partida?4030

☐ A. 45 *miles* ☐ B. 50 *miles*
☐ C. 60 *miles* ☐ D. 70 *miles*

31) ¿Cuál de los siguientes podría ser el producto de dos números primos consecutivos?

☐ A. 2 ☐ B. 10
☐ C. 14 ☐ D. 15

32) Jason compró una computadora portátil para La $529.72computadora portátil tiene un precio regular de. ¿Cuál fue el porcentaje de descuento que $646.00Jason recibió en la computadora portátil?

☐ A. 12% ☐ B. 18%
☐ C. 20% ☐ D. 25%

33) La puntuación de Emma era la mitad que la de Ava y la puntuación de Mia era el doble que la de Ava. Si la partitura de Mia fuera , 40¿cuál es la puntuación de Emma?

☐ A. 5 ☐ B. 10
☐ C. 20 ☐ D. 40

34) Una bolsa contiene bolas: dos verdes, cinco negras, ocho azules, una marrón, una roja y una blanca. Si las bolas se retiran de la bolsa al azar, ¿cuál es la probabilidad de que se haya eliminado una bola marrón1817?

☐ A. $\frac{1}{9}$ ☐ B. $\frac{1}{6}$
☐ C. $\frac{16}{17}$ ☐ D. $\frac{17}{18}$

35) El promedio de cinco números consecutivos es ¿Cuál es el número más pequeño?38.

☐ A. 38 ☐ B. 36
☐ C. 34 ☐ D. 12

36) ¿Cómo se necesitan las baldosas de many para cubrir un piso de dimensión por?8 $cm^2$8 cm24 cm

☐ A. 6 ☐ B. 12
☐ C. 18 ☐ D. 24

37) Una cuerda pesa gramos por metro de longitud. ¿Cuál es el peso en kilogramos de metros de esta cuerda? 60012.2 ($1\ kilograms = 1{,}000\ grams$)

☐ A. 0.0732 ☐ B. 0.732
☐ C. 7.32 ☐ D. 7.320

38) Una solución química contiene4% alcohol. Si hay de alcohol, ¿cuál es el volumen de la solución?32 ml

☐ A. 240 ml ☐ B. 480 ml
☐ C. 800 ml ☐ D. 1200 ml

39) El peso promedio de las niñas en una clase es y el peso promedio de los niños en la 2360 kg32misma clase es62 kg . ¿Cuál es el peso promedio de todos los estudiantes de esa clase?55

☐ A. 60 ☐ B. 61.16
☐ C. 61.68 ☐ D. 62.90

40) El precio de una computadora portátil se reduce en. ¿Cuál es su precio original?20%$360

☐ A. 320 ☐ B. 380
☐ C. 400 ☐ D. 450

41) ¿Cuál es la mediana de estos números? $3, 10, 13, 8, 15, 19, 5$

☐ A. 8 ☐ B. 10
☐ C. 13 ☐ D. 15

42) El radio de un cilindro es de pulgadas y su altura es de pulgadas. ¿Cuál es el área de superficie 612del cilindro en pulgadas cuadradas?

Escriba su respuesta en el cuadro de abajo. (π igual a 3.14)

☐

43) El promedio de y es . ¿Cuál es el valor de ?$13, 15, 20x15x$

Escriba su respuesta en el cuadro de abajo.

☐

44) El precio de un sofá se reduce en . ¿Cuál era su precio original? 25%$420

☐ A. $480 ☐ B. $520
☐ C. $560 ☐ D. $600

45) En el plano -, el punto $(xy1, 2)$ y están en línea. ¿Cuál de los siguientes puntos también podría estar en línea? (Seleccione una o más opciones de respuesta)$(-1{,}6)AA$

☐ A. $(-1, 2)$ ☐ B. $(5, 7)$
☐ C. $(3, 4)$ ☐ D. $(3, -2)$
☐E. $(6, -8)$

46) Un banco está ofreciendo 4.5%interest simple en una cuenta de ahorros. Si depositas, ¿cuánto interés ganarás en cinco años?$9,000

☐ A. $405 ☐ B. $720
☐ C. $2,025 ☐ D. $3,600

Fin de la Prueba de Práctica de Razonamiento Matemático GED 1.

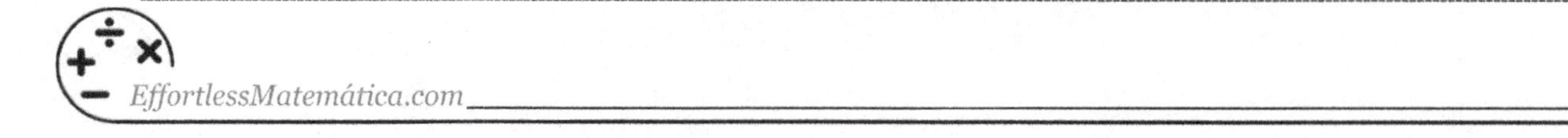

GED Prueba de Práctica de Razonamiento Matemático 2

Año 2022

Dos partes

Número total de preguntas: 46

Parte 1 (No calculadora): 5 preguntas

Parte 2 (Calculadora): 41 preguntas

Tiempo total para dos partes: 115 minutos

Hoja de fórmulas matemáticas de GED

Área de a:

Paralelogramo	$A = bh$
Trapezoide	$A = \frac{1}{2}h(b_1 + b_2)$

Superficie y volumen de a:

Prisma rectangular/derecho	$SA = ph + 2B$	$V = Bh$
Cilindro	$SA = 2\pi rh + 2\pi r^2$	$V = \pi r^2 h$
Pirámide	$SA = \frac{1}{2}ps + B$	$V = \frac{1}{3}Bh$
Cono	$SA = \pi r + \pi r^2$	$V = \frac{1}{3}\pi r^2 h$
Esfera	$SA = 4\pi r^2$	$V = \frac{4}{3}\pi r^3$
	(;)$p =$ perimeter of base $B\pi = 3.14$	

Álgebra

Pendiente de una línea	$m = \frac{y_2 - y_1}{x_2 - x_1}$
Forma de intersección de pendiente de la ecuación de una recta	$y = mx + b$
Forma punto-pendiente de la ecuación de una recta	$y - y_1 = m(x - x_1)$
Forma estándar de una ecuación cuadrática	$y = ax^2 + bx + c$
Fórmula cuadrática	$x = \frac{-b \pm \sqrt{b^2 - 4ac}}{2a}$
Teorema	$a^2 + b^2 = c^2$
Interés simple	$I = prt$ (= interés, = principal,Ip r = tasa, = tiempo)t

GED Práctica de Razonamiento MatemáticoPrueba 2 Parte 1 (No Calculadora)

5 preguntas
Tiempo total para dos partes (partes que no son calculadoras y calculadoras): 115 minutos

NO puede usar una calculadora en esta parte.

1) $[6 \times (-24) + 8] - (-4) + [4 \times 5] \div 2 = ?$

Escriba su respuesta en el cuadro de abajo.

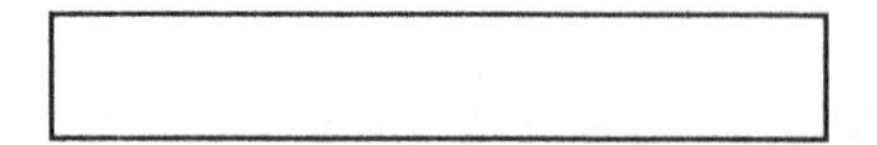

2) ¿Cuál de las siguientes opciones es igual a la expresión siguiente?

$$(2x + 2y)(2x - y)$$

☐ A. $4x^2 - 2y^2$ ☐ B. $2x^2 + 6xy - 2y^2$
☐ C. $4x^2 - 2xy - 2y^2$ ☐ D. $4x^2 + 2xy - 2y^2$

3) ¿Cuál es el producto de todos los valores posibles de en la siguiente ecuación?x

$$|x - 10| = 3$$

☐ A. 3 ☐ B. 7
☐ C. 13 ☐ D.91

4) ¿Cuál es la pendiente de una línea que es perpendicular a la línea?$4x - 2y = 12$

☐ A. -2 ☐ B. $-\frac{1}{2}$
☐ C. 4 ☐ D. 12

5) ¿Cuál es el valor de la expresión cuándo y? $5(x + 2y) + (2 - x)^2 x = 3$ $y = -2$

☐ A. -4 ☐ B. 20
☐ C. 36 ☐ D. 50

GED Práctica de Razonamiento Matemático Prueba 2 Parte 2 (Calculadora)

41 preguntas
Tiempo total para dos partes (partes que no son calculadoras y calculadoras): 115 minutos

Puede usar una calculadora en esta parte.

6) Si de un número es, ¿cuál es el número?20%4

☐ A. 4 ☐ B. 8
☐ C. 10 ☐ D. 20

7) Si A es tiempos de B y A es, ¿cuál es el valor de B?412

☐ A. 3 ☐ B. 4
☐ C. 6 ☐ D. 12

8) Bob está millas por delante de 12Mike corriendo a millas por6.5 hora y Mike está corriendo a la velocidad de millas por hora. ¿Cuánto tiempo tarda 8 Bob en atrapar a Mike?

☐ A. 3 *hours* ☐ B. 4 *hours*
☐ C. 6 *hours* ☐ D. 8 *hours*

9) 44 los estudiantes tomaron un examen y de ellos reprobaron11. ¿Qué porcentaje de los estudiantes aprobaron el examen?

☐ A. 20% ☐ B. 40%
☐ C. 60% ☐ D. 75%

10) ¿Cuál es la valor de? $3^2 \times 3^2$

Escriba su respuesta en el cuadro de abajo.

11) ¿Cuál de los siguientes gráficos representa la desigualdad compuesta $-1 \leq 2x - 3 < 1$?

☐ A. −8 −6 −4 −2 0 2 4 6 8

☐ B. −8 −6 −4 −2 0 2 4 6 8

☐ C. −8 −6 −4 −2 0 2 4 6 8

☐ D. −8 −6 −4 −2 0 2 4 6 8

12)La diagonal de un rectángulo es13 de pulgadas de largo y la altura del rectángulo es de pulgadas. ¿Cuál es el 5área del rectángulo en pulgadas?

Escriba su respuesta en el cuadro de abajo.

13)El perímetro del trapecio debajo es 40 cm. ¿Cuál es su área?

☐ A. 576 cm^2
☐ B. 98 cm^2
☐ C. 40 cm^2
☐ D. 24cm^2

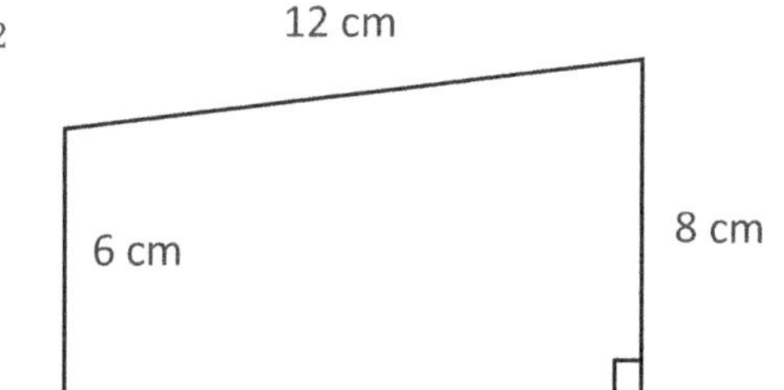

14)Una carta se extrae al azar de una52 baraja de cartas estándar, ¿cuál es la probabilidad de que la carta sea de Palos? (La baraja incluye de cada palo de traje, diamantes, corazones y espadas)13

☐ A. $\frac{1}{3}$
☐ B. $\frac{1}{4}$
☐ C. $\frac{1}{6}$
☐ D. $\frac{1}{52}$

15)¿Cuál de las siguientes muestras los números de menor a mayor?

$$\frac{11}{15}, 75\%, 0.74, \frac{19}{25}$$

☐ A. $75\%, 0.74, \frac{11}{15}, \frac{19}{25}$
☐ B. $75\%, 0.74, \frac{19}{25}, \frac{11}{15}$
☐ C. $0.74, 75\%, \frac{11}{15}, \frac{19}{25}$
☐ D. $\frac{11}{15}, 0.74, 75\%, \frac{19}{25}$

16)La media de los puntajes de las pruebas 50 se calculó como. Pero resultó que una de las partituras fue mal leída como, pero lo fue. ¿Cuál es la media?809469

☐ A. 78.5
☐ B. 79.5
☐ C. 80.5
☐ D. 88.5

17) Dos dados se lanzan simultáneamente, ¿cuál es la probabilidad de obtener una suma de o?69

☐ A. $\frac{1}{3}$ ☐ B. $\frac{1}{4}$
☐ C. $\frac{1}{6}$ ☐ D. $\frac{1}{12}$

18) Una piscina contiene pies cúbicos de agua. La piscina tiene pies de largo y pies de ancho 2,5002510. ¿Qué tan profunda es la piscina?

Escriba su respuesta en el cuadro de abajo. (No escriba la medición)

☐

19) Alice está eligiendo un menú para su almuerzo. Ella tiene3 opciones de aperitivos, opciones de entradas, opciones de pastel. ¿Cuántas combinaciones de menús diferentes son posibles para 56que ella elija?

☐ A. 12 ☐ B. 32
☐ C. 90 ☐ D. 120

20) ¿Cuatro reglas de uno – pie se pueden dividir entre cuántos usuarios dejar cada uno con una regla?$\frac{1}{3}$

☐ A. 4 ☐ B. 6
☐ C. 12 ☐ D. 24

21) ¿Cuál es el área de un cuadrado cuya diagonal es?4

☐ A. 8 ☐ B. 32
☐ C. 36 ☐ D. 64

22) La bolsa de truco o trato de Anita contiene trozos de chocolate, retoños, trozos de chicle, trozos 151010 25 de regaliz. Si saca al azar un caramelo de su bolso, ¿cuál es la probabilidad de que saque un pedazo de chupón?

☐ A. $\frac{1}{3}$ ☐ B. $\frac{1}{4}$
☐ C. $\frac{1}{6}$ ☐ D. $\frac{1}{12}$

23) El volumen de un cubo es menor que 64 m^3. ¿Cuál de los siguientes puede ser el lado del cubo? (Seleccione una o más opciones de respuesta)

☐ A. 2 m ☐ B. 3 m
☐ C. 4 m ☐ D. 5 m
☐ E. 6 m

24) El perímetro de un patio rectangular es de 72 metros. ¿Cuál es su longitud si su anchura es el doble de su longitud?

☐ A. 12 ☐ B. 18
☐ C. 20 ☐ D. 24

25) El promedio de 6 números es 10. El promedio de 4 esos números es 7. ¿Cuál es el promedio de 61047los otros dos números?

☐ A. 10 ☐ B. 12
☐ C. 14 ☐ D. 16

26) ¿Cuál es el valor de en el siguiente sistema de ecuaciones? x

$$2x + 5y = 11$$
$$4x - 2y = -26$$

☐ A. -1 ☐ B. 1
☐ C. -4.5 ☐ D. 4.5

27) El área de un círculo es menor que $81\pi\ ft^2$. ¿Cuál de los siguientes puede ser el diámetro del círculo? (Seleccione una o más opciones de respuesta)

☐ A. $28ft$ ☐ B. $20ft$
☐ C. $18ft$ ☐ D. $17ft$
☒ E. $14ft$

28) La proporción de niños y niñas en una clase es 4: 7 . Si hay 55 estudiantes en la clase, ¿cuántos niños más deberían inscribirse para hacer la proporción 1: 1?

☐ A. 8 ☐ B. 10
☐ C. 12 ☐ D. 15

29) El Sr. Jones ahorra$2,500 de sus ingresos familiares mensuales de $65,000. ¿Qué parte fraccionaria de sus ingresos ahorra?

☐ A. $\frac{1}{26}$ ☐ B. $\frac{1}{11}$
☐ C. $\frac{3}{25}$ ☐ D. $\frac{2}{15}$

30) Un equipo de fútbol tenía$20,000 que gastar en suministros. El equipo gastó $10,000 en pelotas nuevas. Las zapatillas deportivas nuevas cuestan $120 cada una. ¿Cuál de las siguientes desigualdades representa el número de zapatos nuevos que el equipo puede comprar?

☐ A. $120x + 10{,}000 \leq 20{,}000$ ☐ B. $120x + 10{,}000 \geq 20{,}000$
☐ C. $10{,}000x + 120 \leq 20{,}000$ ☐ D. $10{,}000x + 12{,}0 \geq 20{,}000$

31) Jason necesita un70% promedio en su clase de escritura para aprobar. En sus primeras 4 exambras, obtuvo puntajes de 68%, 72%, 85%, y 90%. ¿Cuál es el puntaje mínimo que Jason puede obtener en su quinta y última prueba para aprobar?

Escriba su respuesta en el cuadro de abajo.

☐

32) ¿Cuál es el valor de en la siguiente ecuación? $x\frac{2}{3}x + \frac{1}{6} = \frac{1}{2}$

☐ A. 6 ☐ B. $\frac{1}{2}$
☐ C. $\frac{1}{3}$ ☐ D. $\frac{1}{4}$

33) Un banco está ofreciendo3.5% intereses simples en una cuenta de ahorros. Si depositas 14,000, ¿cuánto interés ganarás en dos años?$

☐ A. $490 ☐ B. $980
☐ C. $4,200 ☐ D. $4,900

34) Simplificar $5x^2y^3(2x^2y)^3 =$

☐ A. $12x^4y^6$ ☐ B. $12x^8y^6$

☐ C. $40x^4y^6$ ☐ D. $40x^8y^6$

35) ¿Cuál es el área de superficie del cilindro debajo?

$4\ in$

$8\ in$

☐ A. $28\ \pi\ in^2$ ☐ B. $37\ \pi\ in^2$

☐ C. $40\ \pi\ in^2$ ☐ D. $288\ \pi\ in^2$

36) El promedio de cuatro números es 48. Si se agrega un quinto número que es mayor que 65, entonces, ¿cuál de los siguientes podría ser el nuevo promedio? (Seleccione una o más opciones de respuesta)

☐ A. 48 ☐ B. 50

☐ C. 51 ☐ D. 52

☐ E. 58

37) What is the median of these numbers? $3, 27, 29, 19, 68, 44, 35$

☐ A. 19 ☐ B. 29

☐ C. 44 ☐ D. 35

38) Un crucero salió del Puerto A y viajó 50 millas hacia el oeste y luego 120 millas hacia el norte. En este punto, ¿cuál es la distancia más corta desde el crucero hasta el puerto A en millas?

Escriba su respuesta en el cuadro de abajo.

39) ¿Cuál es la temperatura equivalente en grados Celsius? $140°F\ C = \frac{5}{9}(F - 32)$

☐ A. 32 ☐ B. 40

☐ C. 48 ☐ D. 60

40) Si 150% de un número es 75 , entonces ¿cuál es el 80% de ese número?

☐ A. 40 ☐ B. 50
☐ C. 70 ☐ D.85

41) ¿Cuál es la pendiente de la línea? $4x - 2y = 8$

Escriba su respuesta en el cuadro de abajo.

☐

42) ¿Cuál es el volumen de una caja con las siguientes dimensiones?

Alto = Ancho = Largo = 3 cm 5 cm6 cm
☐ A. 15 cm^3 ☐ B. 60 cm^3
☐ C. 90 cm^3 ☐ D. 120cm^3

43) Simplifique la expresión. $(5x^3 - 8x^2 + 2x^4) - (4x^2 - 2x^4 + 2x^3)$

☐ A. $4x^4 + 3x^3 - 12x^2$ ☐ B. $4x^3 - 12x^2$
☐ C. $4x^4 - 3x^3 - 12x^2$ ☐ D. $8x^3 - 12x^2$

44) En dos años sucesivos, la población de un pueblo se incrementa en 10% y 20%. ¿Qué porcentaje de la población aumenta después de dos años?

☐ A. 30% ☐ B. 32%
☐ C. 34% ☐ D. 68%

45) La semana pasada 25,000 los aficionados asistieron a un partido de futbol. Esta semana tres veces más compraron boletos, pero una sexta parte de ellos canceló sus boletos. ¿Cuántos asisten esta semana?

☐ A. 48,000 ☐ B. 54,000
☐ C. 62,500 ☐ D. 72,000

46) ¿Qué gráfico muestra una relación lineal no proporcional entre x y y ?

A.

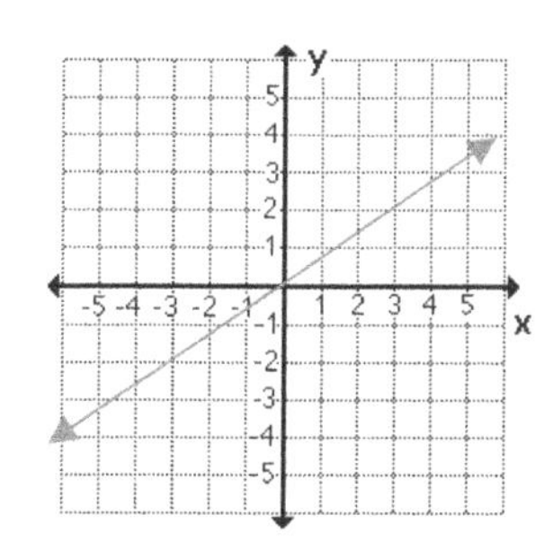

B.

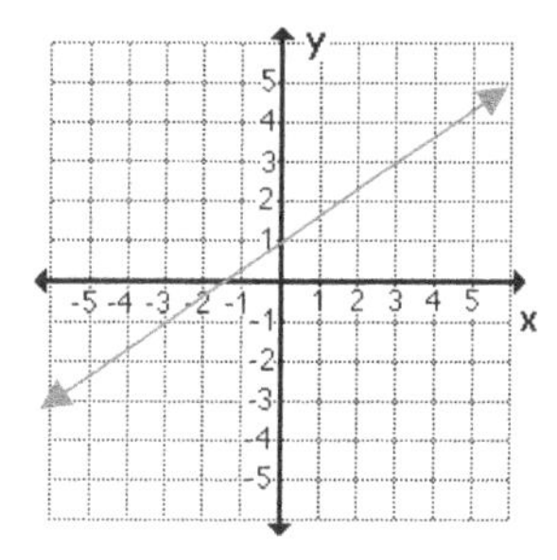

C.

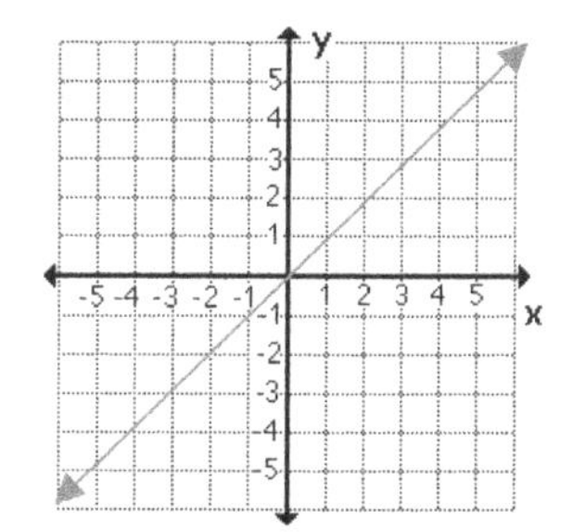

D.

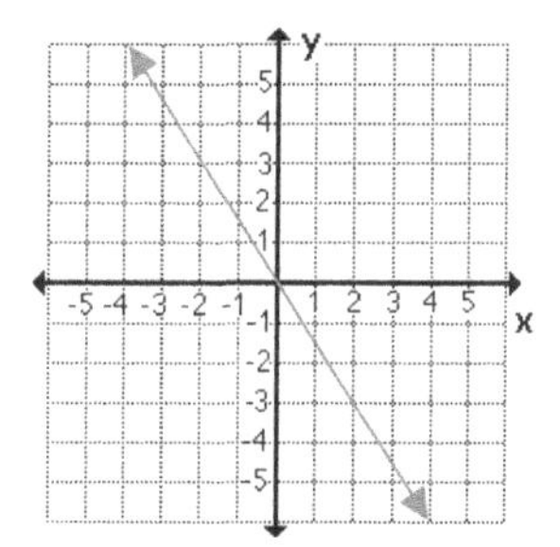

Fin de la Prueba de Práctica de Razonamiento Matemático GED 2.

GED Razonamiento Matemático Pruebas de Práctica Claves de Respuesta

Ahora, es hora de revisar sus resultados para ver dónde se equivocó y qué áreas necesita mejorar.

Prueba de práctica de matemáticas GED 1

1	B	**21**	240	**41**	B
2	D	**22**	C	**42**	678.24
3	D	**23**	130	**43**	12
4	B	**24**	C	**44**	C
5	−30	**25**	B	**45**	D, E
6	C	**26**	B	**46**	C
7	D	**27**	B		
8	C	**28**	Un		
9	90	**29**	C		
10	D	**30**	B		
11	C	**31**	D		
12	B	**32**	B		
13	C	**33**	B		
14	Un	**34**	D		
15	−5	**35**	B		
16	C	**36**	D		
17	C	**37**	C		
18	C, E	**38**	C		
19	C, D	**39**	B		
20	D	**40**	D		

Prueba de práctica de matemáticas GED 2

1	−122	**21**	A	**41**	2
2	D	**22**	C	**42**	C
3	D	**23**	A, B	**43**	Un
4	B	**24**	Un	**44**	B
5	Un	**25**	D	**45**	C
6	D	**26**	C	**46**	B
7	Un	**27**	D, E		
8	D	**28**	D		
9	D	**29**	Un		
10	81	**30**	Un		
11	D	**31**	35		
12	60	**32**	B		
13	B	**33**	B		
14	B	**34**	D		
15	D	**35**	C		
16	B	**36**	D, E		
17	B	**37**	B		
18	10	**38**	130		
19	C	**39**	D		
20	C	**40**	A		

Cómo calificar tu prueba

Cada prueba de área de GED se califica en una escala de 100 a 200 puntos. Para aprobar el GED, debe obtener al menos 145 en cada una de las cuatro pruebas de asignaturas, para un total de al menos 580 puntos (de un total posible de 800).

Cada prueba de asignatura debe aprobarse individualmente. Significa que debe obtener 145 en cada sección de la prueba. Si reprobó una prueba de asignatura, pero lo hizo lo suficientemente bien en otra para obtener una puntuación total de 580, eso todavía no es una puntuación aprobatoria.

Hay cuatro puntajes posibles que puede recibir en la prueba GED:

No aprobar: Esto indica que su puntaje es inferior a 145 en cualquiera de las cuatro pruebas. Si no aprueba, puede reprogramar hasta dos veces al año para volver a tomar cualquiera o todas las materias del examen GED.

Puntaje de aprobación / Equivalencia de la escuela secundaria: Este puntaje indica que su puntaje está entre 145-164. Recuerde que los puntos sobre un tema de la prueba no se transfieren a los otros sujetos.

listo para universidad: Esto indica que su puntaje está entre 165-175, lo que demuestra la preparación para la carrera y la universidad. Un puntaje de listo para universidad muestra que es posible que no necesite pruebas de colocación o remediación antes de comenzar un programa de grado universitario.

Listso para universidad + Crédito: Esto indica que su puntaje es de 175 o más. Esto demuestra que ya has dominado algunas habilidades que se enseñarían en los cursos universitarios. Dependiendo de la política de una escuela, esto puede traducirse en algunos créditos universitarios, lo que le ahorra tiempo y dinero durante su educación universitaria.

Hay aproximadamente 46 preguntas sobre el razonamiento matemático de GED. Al igual que en otras áreas temáticas, necesitará un puntaje mínimo de 145 para aprobar la Prueba de Razonamiento Matemático. Hay 49 puntos de puntuación brutos en la prueba de matemáticas GED. Los puntos brutos se corresponden con las respuestas correctas. La mayoría de las preguntas tienen una respuesta; por lo tanto, solo tienen un punto. Hay más de un punto para las preguntas que tienen más de una respuesta. Obtendrás una puntuación bruta de los 49 puntos posibles. Esto se convertirá en su puntaje escalado de 200. Aproximadamente, debe obtener 32 de los 49 puntajes brutos para aprobar la sección de Razonamiento matemático.

Para calificar sus pruebas de práctica de razonamiento matemático GED, primero encuentre su puntaje bruto.

Hubo 46 preguntas en cada prueba de práctica de razonamiento matemático de GED. Todas las preguntas tienen un punto, excepto las siguientes preguntas que tienen 2 puntos:

Prueba de práctica de razonamiento matemático GED 1:

Pregunta 18: Dos puntos

Pregunta 19: Dos puntos

Pregunta 45: Dos puntos

Prueba de práctica de razonamiento matemático GED 2:

Pregunta 23: Dos puntos

Pregunta 27: Dos puntos

Pregunta 36: Dos puntos

Utilice la siguiente tabla para convertir la puntuación bruta de razonamiento matemático de GED en puntuación escalada.

GED Razonamiento matemático puntaje bruto a puntaje escalado	
Partituras en bruto	Puntuaciones escaladas
Below 32 (*not passing*)	*Below* 145
32 - 36	145 – 164
37 - 40	165 – 175
Above 40	*Above* 175

GED Prueba de Práctica de Razonamiento Matemático 1 Respuestas y Explicaciones

1) La opción B es correcta

En notación científica todos los números se escriben en forma de: $m \times 10^n m$, donde está entre 1 y 10. Para encontrar un valor equivalente de 0.000 000 000 000 042 121, mueva el punto decimal a la derecha para que tenga un número que esté entre 1y 10. Entonces: 4.2121
Ahora, determine cuántos lugares movió el decimal en el paso 1, luego póngalo como la potencia de 10.
Movimos los puntos 14 decimales. Entonces: → Cuando el decimal se movió hacia la derecha, el exponente es negativo.10^{-14}
Entonces: $0.000\,000\,000\,000\,042\,121 = 4.2121 \times 10^{-14}$

2) La opción D es correcta

Sea x el entero. Entonces: $2x - 5 = 83$. Añadir 5 ambos lados: $2x = 882x$, Dividir ambos lados por 2: $x = 44$

3) La opción D es correcta

Para encontrar el descuento, multiplica el número por $(100\% - rate\ of\ discount)$.
Por lo tanto, para el primer descuento obtenemos: $(200)\ (100\% - 15\%) = (200)(0.85) = 170$
Para el siguiente 15% descuento: $(200)(0.85)(0.85)$

4) La opción B es correcta

Conecte cada par de números en la ecuación:

A. $(2,1)$: $2(2) + 4(1) = 8$

B. $(-1,3)$: $2(-1) + 4(3) = 10$

C. $(-2,2).$: $2(-2) + 4(2) = 4$

D. $(2,2)$: $2(2) + 4(2) = 12$

Sólo la opción B es correcta.

5) La respuesta es: −30

Utilice PEMDAS (orden de funcionamiento):

$5 + 8 \times (-2) - [4 + 22 \times 5] \div 6 = 5 + 8 \times (-2) - [4 + 110] \div 6 = 5 + 8 \times (-2) - [114] \div 6 = 5 + (-16) - 19 = 5 + (-16) - 19 = -11 - 19 = -30$

6) La opción C es correcta

85% de 40 es: $85\%\ of\ 40 = 0.85 \times 40 = 34$. Entonces, el estudiante resuelve 34 preguntas correctamente.

7) La opción D es correcta

Si la longitud de la caja es, entonces el ancho de la caja es un tercio de ella, y la altura de la caja es (un tercio del ancho). El volumen de la caja es:2793$V = lwh = (27)(9)(3) = 729$

8) La opción C es correcta

Escribe la ecuación y resuelve para B: $0.60\,A = 0.30\,B$, divide ambos lados por 0.30, entonces: $\frac{0.60}{0.30}\,A = B$ por lo tanto: $.B = 2\,A$ y B es 2 tiempos de A o es 200% de A.

9) La respuesta es.90

Para encontrar el número de combinaciones de atuendos posibles, multiplique el número de opciones para cada factor:

$6 \times 3 \times 5 = 90$

10) La opción D es correcta

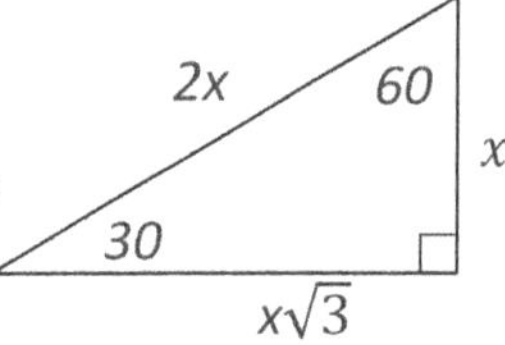

La relación entre todos los lados del triángulo rectángulo especial

$30° - 60° - 90°$ se proporciona en este triángulo:

En este triángulo, el lado opuesto del ángulo es la mitad de la hipotenusa. 30°

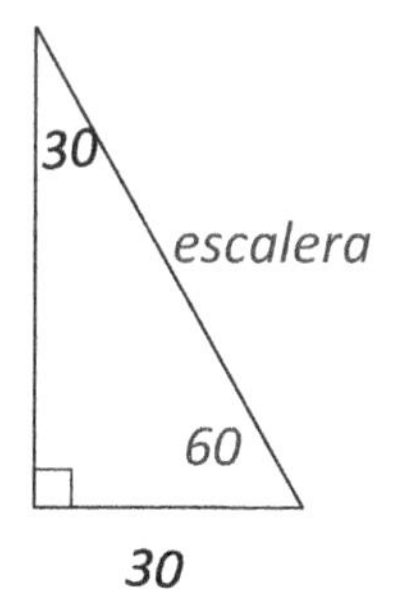

Dibuja la forma para esta pregunta:

La escalera es la hipotenusa. Por lo tanto, la escalera es 60 ft.

11) La opción C es correcta

Sea x el número. Escribe la ecuación y resuelve para$x$.$(24 - x) \div x = 3$. Multiplica ambos lados por x. $(24 - x) = 3x$. a continuación, agregue x ambos lados. 24=4x , ahora divida ambos lados por 4. $x = 6$

12) La opción B es correcta

La suma de los ángulos del suplemento es 180. Sea ese ángulo. Por lo tanto. $x + 5x = 180.6 = 180$, divida ambos lados por 6: $x = 30$

13) La opción C es correcta

La velocidad promedio de john es $150 \div 6 = 25\ km$: La velocidad promedio de Alice es: $180 \div 4 = 45\ km$. Escribe la proporción y simplifica. $25 : 45 \Rightarrow 5 : 9$

14) La opción A es correcta

El porcentaje de niñas que juegan al tenis es: $40\% \times 25\% = 0.40 \times 0.25 = 0.10 = 10\%$

15) La respuesta es −5.

Resolución de sistemas de ecuaciones por eliminación

$$\begin{array}{l} 3x - 4y = -40 \\ \underline{-x + 2y = 10} \end{array} \Rightarrow$$ Multiplica la segunda ecuación por 3, y luego agrégala a la primera ecuación.

$$\begin{array}{l} 3x - 4y = -40 \\ \underline{3(-x + 2y = 10)} \end{array} \Rightarrow \Rightarrow \Rightarrow \begin{array}{l} 3x - 4y = -40 \\ -3x + 6y = 30) \end{array} 2y = -10 y = -5$$

16) La opción C es correcta

Suma los primeros números. $40 + 45 + 50 + 35 + 55 = 225$. Para encontrar la distancia recorrida en las próximas 5 horas, multiplique el promedio por número de horas. $Distancia = Tasa\ de \times promidio = 50 \times 5 = 250$
Suma ambos números. $250 + 225 = 475$

17) La opción C es correcta

Utilice la fórmula de distancia: , divida ambos lados por . $Distance = Rate \times time \Rightarrow 420 = 50 \times T 50420 \div 50 = T \Rightarrow T = 8.4\ hours.$
Cambie las horas a minutos para la parte decimal. $0.4\ hours = 0.4 \times 60 = 24\ minutes.$

18) Las opciones C y E son correctas

(Si seleccionó 3 opciones y 2 de ellas son correctas, entonces obtiene un punto. Si respondiste 2 o 3 elegiste y una de ellas es correcta, recibirás un punto. Si seleccionó más que 3 opciones, no obtendrá ningún punto por esta pregunta). La proporción de mármoles rojos a mármoles azules es $2:5$. Por lo tanto, el número total de mármoles debe ser divisible por 7: $2 + 5 = 7$. Repasemos las opciones:

A. 324: $324 \div 7 = 46.28 \ldots$
B.688: $688 \div 7 = 98.28 \ldots$
C. 826 $826 \div 7 = 118$
D. 596 $596 \div 7 = 85.14 \ldots$
E. 658 $658 \div 7 = 94$

Sólo las opciones C y E cuando se divide por 7 el resultado un número entero.

19) Las opciones C y D son correctas

(Si seleccionó 3 opciones y 2 de ellas son correctas, entonces obtiene un punto. Si respondiste 2 o 3 elegiste y una de ellas es correcta, recibirás un punto. Si seleccionó más que 3 opciones, no obtendrá ningún punto por esta pregunta). Escriba la ecuación aquí.

$3x + 2y = 11$. Conecte los valores de y de las opciones proporcionadas. Entonces:xy

A. $(-1,3)$ $3x + 2y = 11 \rightarrow 3(-1) + 2(3) = 11 \rightarrow -3 + 6 = 11$ ¡NO es cierto!
B. $(2,3)$ $3x + 2y = 11 \rightarrow 3(2) + 2(3) = 11 \rightarrow 6 + 6 = 11$ ¡NO es cierto!
C. $(-1,7)$ $3x + 2y = 11 \rightarrow 3(-1) + 2(7) = 11 \rightarrow -3 + 14 = 11$ ¡Bingo!
D $(5,-2)$ $3x + 2y = 11 \rightarrow 3(5) + 2(-2) = 11 \rightarrow 15 - 4 = 11$ ¡Sí!
E. $(0,2)$ $3x + 2y = 11 \rightarrow 3(0) + 2(2) = 11 \rightarrow 0 + 4 = 11$ ¡No!

20) La opción D es correcta

Usa el teorema de Pitágoras: $a^2 + b^2 = c^2 6^2 + 8^2 = c^2 \Rightarrow 100 = c^2 \Rightarrow c = 10$

21) La respuesta es 240.

La proporción de niños a niñas es 2:3. Por lo tanto, hay 2 niños fuera de los 5 estudiantes. Para encontrar la respuesta, primero divida el número total de estudiantes por 5, luego multiplique el resultado por 2.
$600 \div 5 = 120 \Rightarrow 120 \times 2 = 240$

22) La opción C es correcta

Use la fórmula del porcentaje:$\text{part} = \frac{\text{percent}}{100} \times \text{whole}$
$25 = \frac{percent}{100} \times 20 \Rightarrow 25 = \frac{percent \times 20}{100} \Rightarrow 25 = \frac{percent \times 2}{10}$, multiplica ambos lados por.10
$250 = percent \times 2$, divida ambos lados por $2 . 125 = percent$

23) La respuesta es.130

El perímetro del trapecio es 54.
Por lo tanto, el lado faltante (altura) es $= 54 - 18 - 12 - 14 = 10$
Área de un trapecio: $A = \frac{1}{2} h (b_1 + b_2) = \frac{1}{2}(10)(12 + 14) = 130$

24) La opción C es correcta

Sea x el número. Escribe la ecuación y resuelve para x .
$\frac{2}{3} \times 18 = \frac{2}{5} . x \Rightarrow \frac{2 \times 18}{3} = \frac{2x}{5}$, use la multiplicación cruzada para resolver x.
$5 \times 36 = 2x \times 3 \Rightarrow \Rightarrow 180 = 6x\ x = 30$

25) La opción B es correcta

Para encontrar el descuento, multiplique el número por).(100% − $rate\ of\ discount$)Por lo tanto, para el primer descuento obtenemos $(D)\ (100\% - 20\%) = (D)(0.80) = 0.80\ D$

Para el aumento de 10%:

$$(0.80\ D)(100\% + 10\%) = (0.80D)(1.10) = 0.88\ D = 88\%\ of\ D$$

26) La opción B es correcta

Utilice la fórmula de áreas de círculos.

$Area = \pi r^2 \Rightarrow 64\pi = \pi r^2 \Rightarrow 64 = r^2 \Rightarrow r = 8$

El radio del círculo es . Ahora, use la fórmula de circunferencia: 8

Circunferencia $= 2\pi r = 2\pi\ (8) = 16\ \pi$

27) La opción B es correcta

Utilice la fórmula para Porcentaje de cambio. $\frac{\text{New Value} - \text{Old Value}}{Old\ Value} \times 100\ \%$

$\frac{28-40}{40} \times 100\% = -30\%$ (signo negativo aquí significa que el nuevo precio es menor que el precio anterior).

28) La opción A es correcta

Sea x el número de años. Por lo tanto, \$2,000 por año es igual a $2000x$. a partir del salario anual \$24,000 significa que debe agregar esa cantidad a $2000x$. Ingresos más que eso es:,

$I > 2000x + 24000$

29) La opción C es correcta

La pregunta es esta: ¿1.75 *es* qué porcentaje de 1.25 ? Use la fórmula del porcentaje: $\text{part} = \frac{\text{percent}}{100} \times \text{whole} \Rightarrow 1.75 = \frac{percent}{100} \times 1.25 \Rightarrow 1.75 = \frac{percent \times 1.25}{100} \Rightarrow 175 = percent \times 1.25 \Rightarrow percent = \frac{175}{1.25} = 140$

30) La opción B es correcta

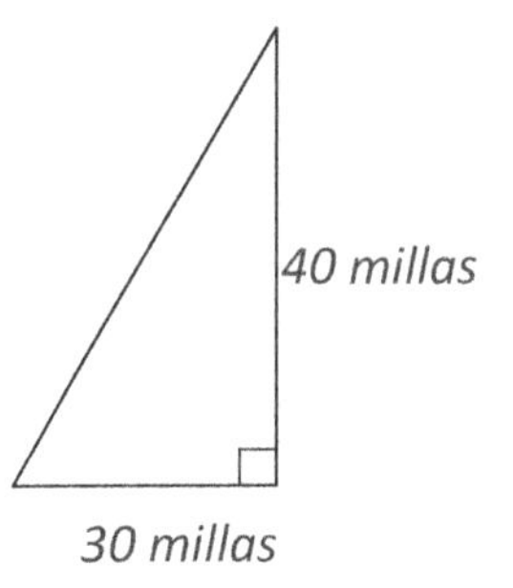

Utilice la información proporcionada en la pregunta para dibujar la forma.

Usa el teorema de Pitágoras: $a^2 + b^2 = c^2$

$40^2 + 30^2 = c^2 \Rightarrow 1600 + 900 = c^2 \Rightarrow 2500 = c^2 \Rightarrow c = 50$

31) La opción D es correcta

Algunos de los números primos son: $2, 3, 5, 7, 11, 13$

Encuentra el producto de dos números primos consecutivos: $2 \times 3 = 6$ (no en las opciones)

$3 \times 5 = 15$ (¡bingo!), $5 \times 7 = 35$ (no en las opciones)

32) La opción B es correcta

La pregunta es esta: 529.72¿qué porcentaje de 646 ? Use la fórmula del porcentaje:

$part = \frac{percent}{100} \times whole$. $529.72 = \frac{percent}{100} \times 646 \Rightarrow 529.72 = \frac{percent \times 646}{100} \Rightarrow$

$529.72 = percent \times 646 \Rightarrow percent = \frac{529.72}{646} = 82$

529.72 es 82% de 646. Por lo tanto, el descuento es: $100\% - 82\% = 18\%$

33) La opción B es correcta

Si la puntuación de Mia fue 40 , por lo tanto la puntuación de Ava es 20 . Dado que, la puntuación de Emma era la mitad que la de Ava, por lo tanto, la puntuación de Emma es 10 .

34) La opción D es correcta

Si 17 las bolas se retiran de la bolsa al azar, habrá una bola en la bolsa. La probabilidad de elegir una bola marrón está 1 fuera de 18. Por lo tanto, la probabilidad de no elegir una bola marrón 17 está fuera de 18 y la probabilidad de no tener una bola marrón después de quitar 17 bolas es la misma.

35) La opción B es correcta

Sea x el número más pequeño. Entonces, estos son los números: $x\,, x+1, x+2, x+3, x+4$

average $= \frac{\text{sum of terms}}{\text{number of terms}} \Rightarrow \Rightarrow \Rightarrow 38 = \frac{x+(x+1)+(x+2)+(x+3)+(x+4)}{5} 38 = \frac{5x+10}{5}$

$190 = 5x + 10 \Rightarrow 180 = 5x \Rightarrow x = 36$

36) La opción D es correcta

El área del piso es: $8\,cm \times 24\,cm = 192\,cm^2$. El número de fichas necesarias =

$$192 \div 8 = 24$$

37) La opción C es correcta

El peso de los 12.2 metros de esta cuerda es: $12.2 \times 600\,g = 7320\,g$

$1\,kg = 1000\,g$, por lo tanto $7320\,g \div 1000 = 7.32\,kg$

38) La opción C es correcta

4% del volumen de la solución es alcohol. Sea x el volumen de la solución. Entonces: $4\%\ of\ x = 32\,ml \Rightarrow 0.04\,x = 32 \Rightarrow x = 32 \div 0.04 = 800$

39) La opción B es correcta

average $= \frac{\text{sum of terms}}{\text{number of terms}}$. La suma del peso de todas las niñas es: $23 \times 60 = 1{,}380\,kg$, La suma del peso de todos los niños es: $32 \times 62 = 1984\,kg$. La suma del peso de todos los estudiantes es: $1{,}380 + 1{,}984 = 3{,}364\,kg average = \frac{3364}{55} = 61.16$

40) La opción D es correcta

Sea x el precio original. Si el precio de una computadora portátil se reduce 20% a \$360, entonces:$80\%\ of\ x = 360 \Rightarrow \Rightarrow 0.80x = 360x = 360 \div 0.80 = 450$

41) La opción B es correcta

Escribe los números en orden:$3, 5, 8, 10, 13, 15, 19$

Dado que tenemos 7 números (7 es impar), entonces la mediana es el número en el medio, que es 10.

42) La respuesta es 678.24.

Área de superficie de un cilindro $= 2\pi r(r+h)$, El radio del cilindro es 6 de pulgadas y su altura es 12 de pulgadas. π se trata de 3.14 . Entonces: Área de superficie de un cilindro $= 2(\pi)(6)(6+12) = 216\,\pi = 678.24$

43) La respuesta es 12.

$$average = \frac{sum\ of\ terms}{number\ of\ terms} \Rightarrow 15 = \frac{13+15+20+x}{4} \Rightarrow 60 = 48 + x \Rightarrow x = 12$$

44) La opción C es correcta

Sea x el precio original. Si el precio del sofá se reduce 25% en$420 , entonces: $75\%\ of\ x = 420 \Rightarrow 0.75x = 420 \Rightarrow x = 420 \div 0.75 = 560$

45) Las opciones D y E son correctas

(Si seleccionó 3 opciones y 2 de ellas son correctas, entonces obtiene un punto. Si respondiste 2 o 3 elegiste y una de ellas es correcta, recibirás un punto. Si seleccionó más que 3 opciones, no obtendrá ningún punto por esta pregunta).

La ecuación de una recta tiene la forma de $y = mx + b$, donde m es la pendiente de la recta y b es $y -$ la de la recta. Dos puntos (1,2) $y\ intercept$ y $(-1,6)$, están en línea A. Por lo tanto, la pendiente de la línea A es: = pendiente de la línea $A = \frac{y_2 - y_1}{x_2 - x_1}\ \frac{6-2}{-1-1} = \frac{4}{-2} = -2$

La pendiente de la línea A es -2 . Por lo tanto, la fórmula de la recta A es: $y = mx + b = -2x + b$, elija un punto y conecte los valores de x yy en la ecuación para resolver para b . Elijamos el punto (1,2). Entonces: $y = -2x + b \rightarrow 2 = -2(1) + b \rightarrow b = 2 + 2 = 4A$La ecuación de la recta A es: $y = -2x + 4$

Ahora, revisemos las opciones proporcionadas:

A. $(-1,2)$ $y = -2x + 4 \rightarrow 2 = -2(-1) + 4 = 6$ ¡Esto non es cierto!

B. $(5,7)$ $y = -2x + 4 \rightarrow 7 = -2(5) + 4 = -6$ ¡Esto non es cierto!

C. $(3,4)$ $y = -2x + 4 \rightarrow 4 = -2(3) + 4 = -2$ ¡Esto non es cierto!

D. $(3,-2)$ $y = -2x + 4 \rightarrow -2 = -2(3) + 4 = -2$ ¡Esto es cierto!

E. $(6,-8)$ $y = -2x + 4 \rightarrow -8 = -2(6) + 4 = -8$ ¡Esto es cierto!

46) La opción C es correcta

Utilice una fórmula de interés simple: $I = prt(I = interest, p = principal, r = rate, t = time)$

$I = (9{,}000)(0.045)(5) = 2{,}025$

GED Prueba de Práctica de Razonamiento Matemático 2 Respuestas y Explicaciones

1) La respuesta es: −122

Utilice PEMDAS (orden de funcionamiento):

$[6 \times (-24) + 8] - (-4) + [4 \times 5] \div 2 = [-144 + 8] - (-4) + [20] \div 2 = [-144 + 8] - (-4) + 10 = [-136] - (-4) + 10 = [-136] + 4 + 10 = -122$

2) La opción D es correcta

Utilice el método FOIL. $(2x + 2y)(2x - y) = 4x^2 - 2xy + 4xy - 2y^2 = 4x^2 + 2xy - 2y^2$

3) La opción D es correcta

Para resolver ecuaciones de valores absolutos, escribe dos ecuaciones. $x - 10$ podría ser positivo 3 o negativo 3. Por lo tanto, $x - 10 = 3 \Rightarrow x = 13$. $x - 10 = -3 \Rightarrow x = 7$.

Encuentre el producto de las soluciones: $7 \times 13 = 91$

4) La opción B es correcta

La ecuación de una recta en forma de intersección de pendiente es: $= mx + b$Resuelve y .

$4x - 2y = 12 \Rightarrow \Rightarrow \Rightarrow -2y = 12 - 4xy = (12 - 4x) \div (-2)y = 2x - 6$. La pendiente de esta línea es 2. El producto de las pendientes de dos líneas perpendiculares es −1. Por lo tanto, la pendiente de una línea que es perpendicular a esta línea es:

$$m_1 \times m_2 = -1 \Rightarrow 2 \times m_2 = -1 \Rightarrow m_2 = \frac{-1}{2} = -\frac{1}{2}$$

5) La opción A es correcta

Conecte el valor de y. y $xyx = 3y = -2$

$$5(x+2y)+(2-x)^2 = 5(3+2(-2))+(2-3)^2 = 5(3-4)+(-1)^2 = -5+1 = -4$$

6) La opción D es correcta

Sea el número. Escribe la ecuación y resuelve para. xx

$20\%\ of\ x = 4 \Rightarrow 0.20\,x = 4 \Rightarrow x = 4 \div 0.20 = 20$

7) La opción A es correcta

A son tiempos de B, entonces: $4A = 4B \Rightarrow (A = 12)\ 12 = 4 \times B \Rightarrow B = 12 \div 4 = 3$

8) La opción D es correcta

La distancia entre Bob y Mike es de millas. Bob corre a millas por hora y Mike corre a la velocidad de millas por hora. Por lo tanto, cada hora la distancia es de kilómetros menos. $126.581.512 \div 1.5 = 8$

9) La opción D es correcta

La tasa de fallos está 11 fuera de $44\ O\ \frac{11}{44}$ .Cambie la fracción a porcentaje:$\frac{11}{44} \times 100\% = 25\%$

25 porcentaje de estudiantes reprobados. Por lo tanto, el 75 porcentaje de estudiantes aprobó el examen.

10) La respuesta es.81

Utilice reglas de multiplicación de exponentes: $x^a \times x^b = x^{a+b}$,

Entonces: $3^2 \times 3^2 = 3^4 = 3 \times 3 \times 3 \times 3 = 81$

11) La opción D es correcta

Resuelve para x. $-1 \le 2x - 3 < 1 \Rightarrow$ (añadir todos los lados) 3 $-1 + 3 \le 2x - 3 + 3 < 1 + 3 \Rightarrow 2 \le 2x < 4 \Rightarrow$ (divide todos los lados por 2) $1 \le x < 2$.

x está entre1 y 2. La opción D representa esta desigualdad.

12) La respuesta es 60.

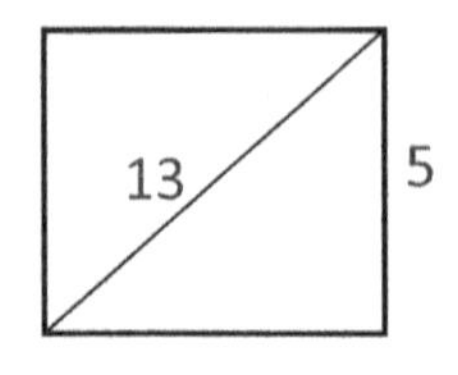

Sea el ancho del rectángulo. Usa el teorema de Pitágoras: x
$a^2 + b^2 = c^2$
$x^2 + 5^2 = 13^2 \Rightarrow x^2 + 25 = 169 \Rightarrow x^2 = 169 - 25 = 144 \Rightarrow x = 12$
Área del rectángulo $=$ $length \times width = 5 \times 12 = 60$

13) La opción B es correcta

El perímetro del trapecio es $36\, cm$. Por lo tanto, el lado faltante (altura) $40 - 8 - 12 - 6 = 14$. Área de un trapecio: $A = \frac{1}{2} h\,(b_1 + b_2) = \frac{1}{2}\,(14)(6 + 8) =$ 98

14) La opción B es correcta

La probabilidad de elegir un Club es $\frac{13}{52} = \frac{1}{4}$

15) La opción D es correcta

Cambie los números a decimal y luego compare.
$\frac{11}{15} = 0.73 \ldots, 0.74, 75\% = 0.75, \frac{19}{25} = 0.76$
Por lo tanto: $\frac{11}{15} < 0.74 < 75\% < \frac{19}{25}$

16) La opción B es correcta

$$average\ (mean) = \frac{sum\ of\ terms}{number\ of\ terms} \Rightarrow 80 = \frac{sum\ of\ terms}{50}$$
$\Rightarrow sum = 80 \times 50 = 4{,}000$
La diferencia de 94 y 69 es 25. Por lo tanto, debe restarse de la suma.
$4000 - 25 = 3{,}975.\ mean = \frac{sum\ of\ terms}{number\ of\ terms} \Rightarrow mean = \frac{3{,}975}{50} = 79.5$

17)La opción B es correcta

Para obtener una suma de 6 por dos dados, podemos recibir $(1,5), (5,1), (2,4), (4,2), (3,3)$. Entonces, tenemos 5 opciones. Para obtener una suma de 9, podemos recibir $(6,3), (3,6), (4,5), (5,4)$. Entonces, tenemos 4 opciones. Dado que, tenemos $6 \times 6 = 36$ opciones totales, la probabilidad de obtener una suma de 6 y 9 está 9 $(4 + 5)$ fuera de 36 $O\,\frac{9}{36} = \frac{1}{4}$

18) La respuesta es 10.

Utilice la fórmula del volumen del prisma rectángulo.$V = (length)(width)(height) \Rightarrow 2500 = (25)(10)(height) \Rightarrow height = 2{,}500 \div 250 = 10$

19) La opción C es correcta

Para encontrar el número de combinaciones de atuendos posibles, multiplique el número de opciones para cada factor:
$3 \times 5 \times 6 = 90$

20) La opción C es correcta

$4 \div \frac{1}{3} = 12$

21) La opción A es correcta

La diagonal del cuadrado es. Que sea el lado. Usa pitagórico$4x$
Teorema:$a^2 + b^2 = c^2$
$x^2 + x^2 = 4^2 \Rightarrow 2x^2 = 4^2 \Rightarrow 2x^2 = 16 \Rightarrow x^2 = 8 \Rightarrow x = \sqrt{8}$
El área de la plaza es:$\sqrt{8} \times \sqrt{8} = 8$

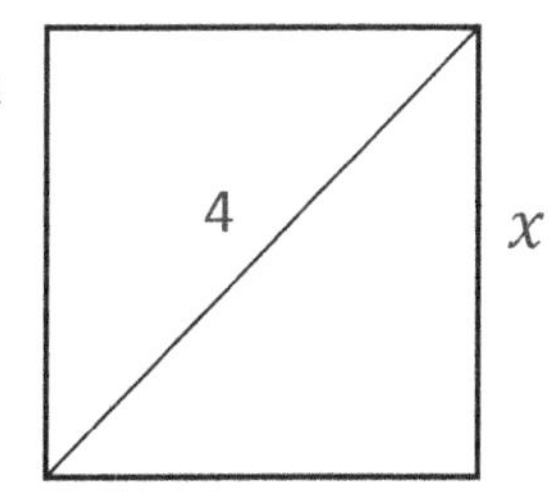

22) La opción C es correcta

$$\text{Probability} = \frac{number\ of\ desired\ outcomes}{\text{number of total outcomes}} = \frac{10}{15 + 10 + 10 + 25} = \frac{10}{60} = \frac{1}{6}$$

23) Las opciones A y B son correctas

(Si seleccionó 3 opciones y 2 de ellas son correctas, entonces obtiene un punto. Si respondiste 2 o 3 elegiste y una de ellas es correcta, recibirás un punto. Si seleccionó más que 3 opciones, no obtendrá ningún punto por esta pregunta). El volumen del cubo es menor que 64 m^3 . Utilice la fórmula de volumen de cubos.
$volume = (un\ lado)^3 \Rightarrow 64 > \Rightarrow 64 > (un\ lado)^3$. Encuentra la raíz cúbica de ambos lados. Entonces: $4 > one\ side$. El lado del cubo es menor que 4. Sólo las opciones A y B son menores que 4.

24) La opción A es correcta El ancho del rectángulo es el doble de su longitud. Sea la longitud. Entonces $xwidth = 2x$

El perímetro del rectángulo es $2\,(ancho + largo) = 2(2x + x) = 72$
$\Rightarrow 6x = 72 \Rightarrow x = 12$. La longitud del rectángulo es de 12 metros.

25) La opción D es correcta

$\text{average} = \frac{\text{suma de } terminos}{\text{numero di terminos}} \Rightarrow$ (promedio de números) $610 = \frac{\text{numero de terminos}}{6}$
$\Rightarrow$sumen de números es $610 \times 6 = 60$
(promedio de números) $47 = \frac{\text{numero de terminos}}{4}$ $\Rightarrow$unidad de números es $47 \times 4 = 28$
$suma\ de\ 6\ numeros - suma\ de\ 4\ numeros = suam\ de\ 2\ numeros$
$60 - 28 = 32$. Promedio de números $= 2\frac{32}{2} = 16$

26) La opción C es correcta

Resolución de sistemas de ecuaciones por eliminación
Multiplica la primera ecuación.(-2),y luego agrégala a la segunda ecuación
$\begin{array}{l} -2(2x + 5y = 11) \\ \underline{4x - 2y = -26} \end{array} \Rightarrow \Rightarrow \Rightarrow \begin{array}{l} -4x - 10y = -22 \\ 4x - 2y = -26 \end{array} - 12y = -48y = 4$
Conecte el valor de en una de las ecuaciones y resuelva para.yx
$2x + 5(4) = 11 \Rightarrow \Rightarrow \Rightarrow 2x + 20 = 112x = -9x = -4.5$

27) Las opciones D y E son correctas

(Si seleccionó 3 opciones y 2 de ellas son correctas, entonces obtiene un punto. Si respondiste 2 o 3 elegiste y una de ellas es correcta, recibirás un punto. Si seleccionó más 3 que opciones, no obtendrá ningún punto por esta pregunta).
El área del círculo es menor que$81\pi\ ft^2$. Utilice la fórmula de áreas de círculos.
$Area = \pi r^2 \Rightarrow 81\pi > \pi r^2 \Rightarrow 81 > r^2 \Rightarrow r < 9$
El radio del círculo es menor que $9ft$. Por lo tanto, el diámetro del círculo es menor que$18\ ft$. Sólo las opciones D y E son menores que $18ft$.

28) La opción D es correcta

La proporción de niños a niñas es 4:7. Por lo tanto, hay 4 niños fuera de los 11 estudiantes. Para encontrar la respuesta, primero divida el número total de estudiantes por 11, luego multiplique el resultado por 4.
$55 \div 11 = 5 \Rightarrow 5 \times 4 = 20$. Hay 20 niños y 35 (55 − 20) niñas. Por lo tanto, se deben inscribir 15 más niños para hacer la proporción 1:1.

29) La opción A es correcta

2,500 de igual a 65,000 $\frac{2{,}500}{65{,}000} = \frac{25}{650} = \frac{1}{26}$

30) La opción A es correcta

Sea x el número de zapatos nuevos que el equipo puede comprar. Por lo tanto, el equipo puede comprar 120 x. El equipo tenía $20,000 y gastaba $10,000. Ahora el equipo puede gastar $10,000 en zapatos nuevos como máximo. Ahora, escribe la desigualdad: $120x + 10{,}000 \leq 20{,}000$

31) La respuesta es.35

Jason necesita un 70% promedio para aprobar cinco exámenes. Por lo tanto, la suma 5 de exámenes debe estar en arrendamiento. $5 \times 70 = 350$
La suma de 4 exámenes es: $68 + 72 + 85 + 90 = 315$.
El puntaje mínimo que Jason puede obtener en su quinta y última prueba para aprobar : $350 - 315 = 35$

32) La opción B es correcta

Aislar y resolver para. $x \frac{2}{3}x + \frac{1}{6} = \frac{1}{2} \Rightarrow \frac{2}{3}x = \frac{1}{2} - \frac{1}{6} = \frac{1}{3} \Rightarrow \frac{2}{3}x = \frac{1}{3}$
Multiplica ambos lados por el recíproco del coeficiente de.x
$(\frac{3}{2})\frac{2}{3}x = \frac{1}{3}(\frac{3}{2}) \Rightarrow x = \frac{3}{6} = \frac{1}{2}$

33) La opción B es correcta

Use la fórmula de interés simple: $I = prt$ (I = interés, p = principal, r = tasa, t = tiempo)
$I = (14000)(0.035)(2) = 980$

34) La opción D es correcta

Simplificar. = $= 5x^2y^3(2x^2y)^3 5x^2y^3(8x^6y^3) 40x^8y^6$

35) La opción C es correcta

Área de superficie de un cilindro = $2\pi r\,(r + h)$, el radio del cilindro es $2\,(4 \div 2)$ de las pulgadas y su altura es 8 pulgadas. Por lo tanto, área de superficie de un cilindro = $2\pi\,(2)\,(2 + 8) = 40\,\pi$

36) Las opciones D y E son correctas

(Si seleccionó 3 opciones y **2** de ellas son correctas, entonces obtiene un punto. Si respondiste **2** o **3** elegiste y una de ellas es correcta, recibirás un punto. Si seleccionó más de 3 opciones, no obtendrá ningún punto por esta pregunta). Primero, encuentre la suma de cuatro números. average $= \frac{\text{suma de terminos}}{\text{numero de terminos}}$ $\Rightarrow \Rightarrow 48 = \frac{\text{suma de 4 numeross}}{4} \Rightarrow$ suma de 4 numeros $= 48 \times 4 = 192$ .La suma de 4 números es 192. Si un quinto número que es mayor que 65 se agrega a estos números, entonces la suma de 5 números debe ser mayor que $192 + 65 = 257$. Si el número fue 65, entonces el promedio de los números es:

promedio$= \frac{256}{5} = 51.4$. Dado que el número es mayor que 65. Entonces, promedio de cinco números debe ser mayor que las 51.4. opciones D y E son mayores que 51.4

37) La opción B es correcta

Escribe los números en orden:$3, 19, 27, 29, 35, 44, 68$

La mediana es el número en el medio. Entonces, la mediana es 29.

38) La respuesta es 130.

Utilice la información proporcionada en la pregunta para dibujar la forma.

Usa el teorema de Pitágoras: $a^2 + b^2 = c^2$

$50^2 + 120^2 = c^2 \Rightarrow 2500 + 14400 = c^2 \Rightarrow 16900 = c^2$

$\Rightarrow c = 130$

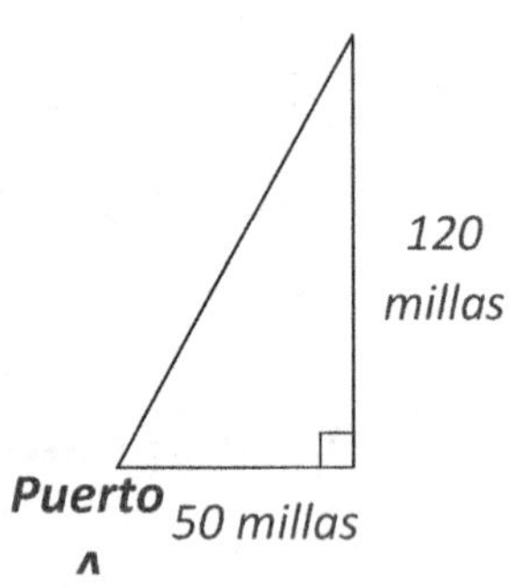

39) La opción D es correcta

Conéctese 140 para F y luego resuelva para $FC.C = \frac{5}{9}(F - 32) \Rightarrow C = \frac{5}{9}(140 - 32) \Rightarrow C = \frac{5}{9}(108) = 60$

40) La opción A es correcta

Primero, encuentra el número. Sea x el número. Escribe la ecuación y resuelve para x.

150% de un número es, entonces:$751.5 \times x = 75 \Rightarrow x = 75 \div 1.5 = 50$

80% de 50 es:$0.8 \times 50 = 40$

41) La respuesta es 2.

Resuelve para. $y4x - 2y = 8 \Rightarrow \Rightarrow -2y = 8 - 4xy = 2x - 4$.

La pendiente de la línea es2.

42) La opción C es correcta

$volumen\ de\ una\ caja = length \times width \times height = 3 \times 5 \times 6 = 90$

43) La opción A es correcta

Simplifique y combine términos similares.$(5x^3 - 8x^2 + 2x^4) - (4x^2 - 2x^4 + 2x^3) \Rightarrow \Rightarrow (5x^3 - 8x^2 + 2x^4) - 4x^2 + 2x^4 - 2x^3 4x^4 + 3x^3 - 12x^2$

44) La opción B es correcta

La población se incrementa 10% y 20%. 10% el aumento cambia la población a 110% la población original. Para el segundo aumento, multiplique el resultado por 120%.

$(1.10) \times (1.20) = 1.32 = 132\%$. 32 porcentaje de la población aumenta después de dos años.

45) La opción C es correcta

Tres veces de 25,000 es 75,000. Una sexta parte de ellos canceló sus boletos. Una sexta partede75,000 iguales. 12,500 $(\frac{1}{6} \times 72{,}000 = 12{,}500)$.62,500 $(75{,}000 - 12{,}500 = 62{,}500)$los fans asisten esta semana

46) La opción B es correcta.

Una ecuación lineal es una relación entre dos variables, x y y , se puede escribir en forma de $y = mx + b$. Una relación lineal no proporcional toma la forma $y = mx + b$, donde $b \neq 0$ y su grafo es una línea que no cruza a través del origen. Sólo en el gráfico B, la recta no pasa por el origen.

Centro en línea GED de EffortlessMath.com

... ¡Mucho más en línea!

Effortlessmath.com GED Matemática Center ofrece un programa de estudio completo, que incluye lo siguiente:

- ✓ Instrucciones paso a paso sobre cómo prepararse para el examen de matemáticas GED
- ✓ Numerosas hojas de trabajo de matemáticas de GED para ayudarlo a medir sus habilidades matemáticas
- ✓ Lista completa de fórmulas matemáticas de GED
- ✓ Lecciones en video para temas de matemáticas de GED
- ✓ Exámenes completos de práctica de matemáticas GED
- ✓ Y mucho más...

No es necesario registrarse.

Visite **Effortlessmath.com/GED** encontrar sus recursos de matemáticas de GED en línea.

¡Reciba la versión en PDF de este libro u obtenga otro libro GRATIS!

¡Gracias por usar nuestro libro!

¿Te encanta este libro?

¡Entonces, puede obtener la versión en PDF de este libro u otro libro **o de otro libro totalmente gratis.**

Por favor, envíenos un correo electrónico a:

info@Effortlessmath.com

para más detalles.

Nota final del autor.

I Espero disfrutes leyendo este libro. ¡Has conseguido terminar el libro! ¡Gran trabajo!

En primer lugar, gracias por comprar esta guía de estudio. Sé que podrías haber elegido cualquier número de libros para ayudarte a preparar el examen de Matemáticas del GED, pero elegiste este libro y por eso te estoy extremadamente agradecido.

Me tomó años escribir esta guía de estudio para el GED de Matemáticas porque quería preparar una guía de estudio completa para el GED de Matemáticas que ayudara a los examinados a hacer el uso más efectivo de su valioso tiempo mientras se preparan para el examen.

Después de enseñar y dar clases particulares de matemáticas durante más de una década, he reunido mis notas y lecciones personales para desarrollar esta guía de estudio. Es mi mayor deseo que las lecciones de este libro puedan ayudarte a preparar tu examen con éxito.

Si ha disfrutado de este libro y ha encontrado algún beneficio en su lectura, me gustaría saber de usted y espero que pueda tomarse un minuto para publicar una reseña en la página de Amazon del libro. Para dejar su valioso comentario, visite: amzn.to/37t3HYd

O escanea este código QR.

Le deseo lo mejor en su futuro éxito.

Reza Nazari

Profesor de matemáticas y

Made in the USA
Coppell, TX
17 November 2023